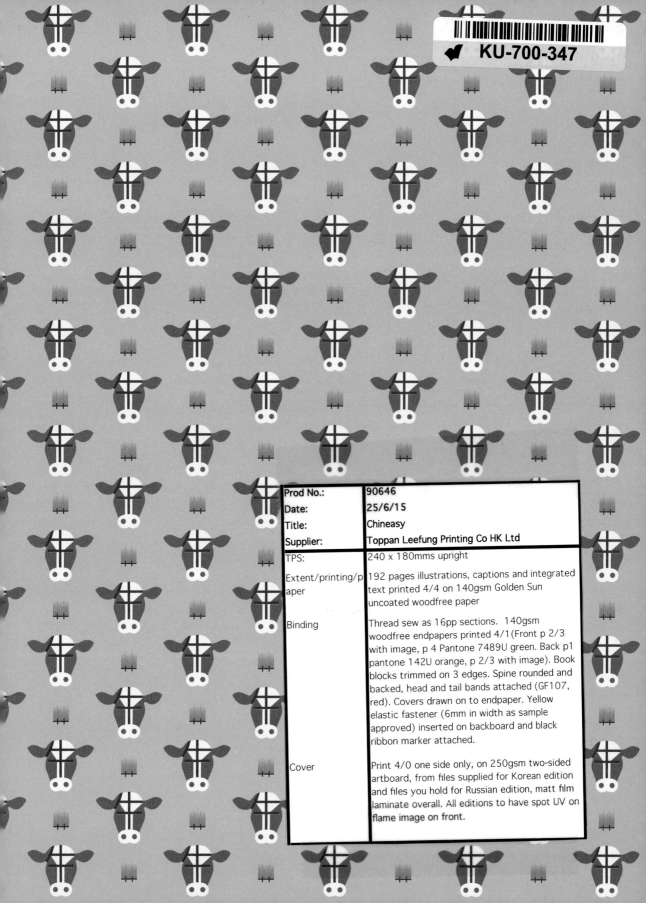

Prod No.:	90646
Date:	25/6/15
Title:	Chineasy
Supplier:	Toppan Leefung Printing Co HK Ltd
TPS:	240 x 180mms upright
Extent/printing/paper	192 pages illustrations, captions and integrated text printed 4/4 on 140gsm Golden Sun uncoated woodfree paper
Binding	Thread sew as 16pp sections. 140gsm woodfree endpapers printed 4/1(Front p 2/3 with image, p 4 Pantone 7489U green. Back p1 pantone 142U orange, p 2/3 with image). Book blocks trimmed on 3 edges. Spine rounded and backed, head and tail bands attached (GF107, red). Covers drawn on to endpaper. Yellow elastic fastener (6mm in width as sample approved) inserted on backboard and black ribbon marker attached.
Cover	Print 4/0 one side only, on 250gsm two-sided artboard, from files supplied for Korean edition and files you hold for Russian edition, matt film laminate overall. All editions to have spot UV on flame image on front.

차이니지

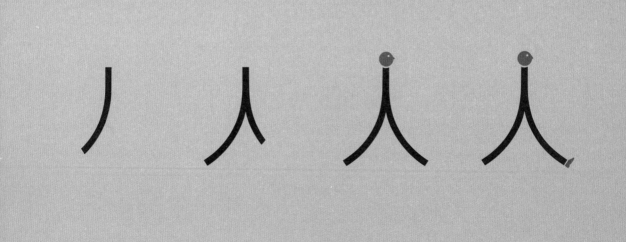

Chineasy™

차이니지

샤오란 지음 · 노마 바 그림 | 박용호 옮김

NEXUS

Published by arrangement with Thames & Hudson Ltd., London.

Chineasy: The New Way to Read Chinese ©2014 Chineasy Ltd.

Chineasy™ is a trademark of Chineasy Ltd. London

Author and Concept: ShaoLan Hsueh

Graphic Design: Brave New World Publishing Ltd.

Art Director: Crispin Jameson

Principal Illustrator: Noma Bar

This edition first published in Korea in 2015 by Nexus Co., Ltd.

Korean edition ©2015 Nexus Co., Ltd.

Korean translation rights arranged with Thames and Hudson Ltd.
through EYA(Eric Yang Agency)

차이니지

지은이 샤오란
그린이 노마 바
옮긴이 박용호
펴낸이 안용백
펴낸곳 (주)넥서스

초판 1쇄 인쇄 2015년 9월 20일
초판 1쇄 발행 2015년 9월 25일

출판신고 1992년 4월 3일 제311-2002-2호
121-893 서울특별시 마포구 양화로 8길 24
Tel (02)330-5500 Fax (02)330-5555
ISBN 979-11-5752-424-2 03720

www.nexusbook.com

목차

1. 시작하며

2. 기본을 익히자

동화

3. 부록

一 하나 [yī]
'하나'를 의미한다.

1

시작하며

왜 '차이니지Chineasy'인가
책 사용법

왜 '차이니지Chineasy'인가

나는 대만 타이베이에서 태어났다. 서예가와 도예가인 부모님을 둔 덕에 어렸을 때부터 예술과 중국어의 아름다움을 직접 느끼며 자랐다. 중국어는 나의 정체성과 가치관을 설명하는 데 없어서는 안 될 중요한 요소다. 하지만 내 아이들을 직접 가르치면서부터 중국어가 정말로 배우기 힘든 언어임을 알게 되었다.

이 책의 최종 목적은 사람들에게 큰 장벽과도 같은 중국어를 알기 쉽게 설명하여 문화적인 차이를 줄이는 것이다. 물론 그 사람들 중 우리 아이들도 포함된다! 이 책을 만드는 데에 가장 큰 영감을 준 것은 나의 어린 시절과 우리 아이들이었다.

대부분 사람들은 중국어 한자의 수가 많고 복잡하여서 배우기 어렵다고 생각한다. 영국에서 태어난 우리 아이들에게 중국어를 가르치면서 나는 한자가 얼마나 까다로운 것인지 새삼 느끼게 되었다. 아이들에게 한자는 고문 그 자체였다! 그래서 몇 년 동안 한자를 재미있고 쉽게 익히는 방법을 찾기 위해 노력했다.

수년간 연구하면서 나는 기존에 나와 있는 학습법들이 그리 효과적이지 못하다고 생각했다. 그래서 나만의 중국어 학습법을 만들기로 했고 그 결과물이 바로 이 책이다. 안 믿을 수도 있지만 정말 효과가 있었다.

『차이니지』는 간단한 그림으로 한자를 익혀서 중국어를 쉽게 읽을 수 있도록 한다. 먼저 기본형 한자 하나를 익히고(10쪽 참고) 그것을 활용해 마술같이 다른 한자나 단어를 만들어낼 수 있다. 몇 개의 기본형만 알아도 중국어 단어 수준이 한 단계 업그레이드될 것이다.

이렇게 하면 비교적 적은 노력으로 수백 개의 한자와 단어를 빠르게 배울 수 있고, 그 단어의 역사적, 문화적 배경을 이해할 수 있다. 수만 개의 한자가 있지만 몇백 개의 한자만 알고 있어도 기본적인 중국어 문장을 이해할 수 있고, 중국 문화와 예술에 깊이 빠져들 수 있을 것이다. 중국어의 아름다움을 배우고 이해하기 원하는 이들과 『차이니지』를 함께 할 수 있어 참으로 기쁘다.

책 사용법

책의 개요

이 책은 먼저 한자의 형태를 보여준 후 뜻과 병음(중국어 한자의 발음. 13쪽 참고)을 차례로 설명한다. 한국어판 독자를 위해 한국어에서 사용되는 한자의 뜻과 소리도 괄호로 설명했다. 그리고 한자마다 재미있는 역사, 문화적인 사실들을 짧게 소개해두었다. 한자와 단어 중 몇 개는 그림으로 설명하지 않은 경우도 있는데, 여러 가지 연관된 단어를 통해 어휘력을 향상시킬 수 있을 것이다.

3장에는 이 책에서 다룬 한자와 단어의 목록을 간체자, 번체자(옆 쪽 참고), 병음과 함께 실어두었으니 참고하기 바란다.

이 책의 학습 방법

중국어를 공부할 때 대략 180∼215개의 한자 부수를 익혀야 하는데, 이런 부수들을 조합해서 한자를 만든다.

『차이니지』는 가장 기본적이고 자주 쓰는 한자를 분해하고 정리해서 쉽게 부수를 익히도록 하였다. 이렇게 기본적으로 나누어지는 한자를 이 책에서는 '기본형 한자'라고 부른다.

하나의 기본형 한자 (28쪽 '불' 火), 혹은 기본형 한자의 부수 형태 (28쪽 '불' 灬)는 한 개 혹은 여러 개의 다른 한자들과 결합하여 '복합형 한자'를 만든다 (29쪽 '뜨겁다' 炎 참고). 그리고 두 개 이상의 독립된 한자를 이용해 단어조합을 만든다 (30쪽 '타는 듯하다' 炎炎). 이렇게 기본형 한자를 응용해가며 배우기 때문에 중국어를 쉽게 배울 수 있다.

불(기본형)

뜨겁다(복합형)

뜨겁다

뜨겁다

타는 듯하다(단어조합)

번체자와 간체자

번체자는 대만이나 홍콩에서 사용하는 한자이고,
간체자는 1949년 중화인민공화국이 설립된 후 쓰기 시작한
한자다. 번체자와 간체자가 같은 형태일 때가 많으나
다르게 쓰일 경우 이 책에서는 특별히 설명을 덧붙였다.
(17쪽 '따르다'와 '무리' 참고) 특별한 설명이 없는 것은
번체자와 간체자가 같다는 뜻이다.

중국어의 발전

다른 언어처럼 중국어도 오랜 세월 동안 계속 진화했다.
정치적 변화, 영토의 확장, 철학 등이 중국에서 한자를 쓰는
방식에 영향을 끼쳤다. 이 책에서는 기원전에 쓰인 갑골문자,
금문, 전서, 예서 등이 언급되는데 중국어 필체가 변화된
시기를 의미하는 것으로 현대 중국어의 모태가 된다.

고대 한자는 상형문자이기 때문에 한자의 형태만으로는 발음을
읽을 수가 없다. 중국어가 점차 발전하면서 두 개 이상의 기본형
한자가 결합하여 새로운 한자가 만들어졌는데, 이런 경우 기본형
한자 중 하나가 새로운 한자 발음의 토대가 되었다.
예를 들어, 85쪽에 있는 '회계/빚'을 뜻하는 賬[zhàng]이라는
혼합형 한자는 '조개'를 의미하는 기본형 한자와 '길이'를 뜻하는
기본형 한자가 결합하였는데, 과거에 부와 관련이 있었던
'조개'라는 한자는 이 복합형 한자의 뜻을 담당하고(130쪽 참고),
'길이'[cháng]라는 한자는 발음에 영향을 주었다.

'동쪽' 번체자

'동쪽' 간체자

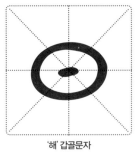

'해' 갑골문자

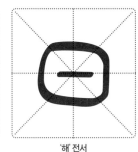

'해' 전서

'해' 예서

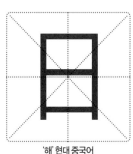

'해' 현대 중국어

쓰기의 기초

한자 쓰기를 처음 배울 때 꼭 연습하는 것이 있다. 바로 정자로
네모 칸 안에 쓰는 훈련이다. 옆에 있는 예시에서 '나무 한 그루',
'두 그루', '세 그루' 모두 네모 칸 안에 딱 맞게 쓰여 있다.

자세히 보면 각 한자마다 '나무'라는 기본 한자를 조금씩
변형시켰는데, '나무' 두 개를 네모 칸 안에 나란히
쓰기 위해서는 폭을 좁게 써야 하고 위아래로 결합시켜
쓸 때도 네모 안에 모두 들어가도록 짧게 써야 한다.

어떤 한자들은 복합형 한자의 일부로만 사용된다. 이런 형태의
한자를 '부수'라고 한다. 오른쪽에 있는 '사람' 人의 부수 형태
亻은 '무리'를 나타내는 한자 伙을 구성하는 데 사용한다.
부수의 또 다른 예는 26쪽의 '개' 犬=犭, 28쪽의 '불' 火=灬를
참고해보라. 이 책에서 부수 형태는 기본형 한자의 주요 뜻
아래에 따로 표시해두었다. 그밖에 한자 쓰기에 관련해 더 많은
것을 알고 싶다면 35쪽을 참고하라.

중국에는 북경어나 광동어와 같이 다양한 방언이 있지만
한자는 거의 비슷하게 사용한다. 각 방언마다 한자의 발음이 다를
뿐이다. 어떤 한자는 방언에 따라 발음이 완전히 다르기도 하다.

이 책에서는 '한어병음'이라는 발음 표기법을 사용하는데, 이는
북경어에서만 쓰인다. 북경어는 중국에서 가장 널리 사용하는
방언이다. 발음에 대한 자세한 내용은 옆 쪽의 '발음의 기초'를
참고하라.

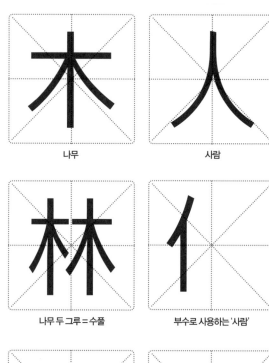

나무   사람

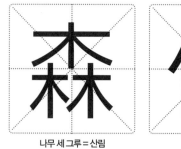

나무 두 그루 = 수풀   부수로 사용하는 '사람'

나무 세 그루 = 산림   무리

띄어쓰기의 기초

우리가 접하는 글자가 한 글자로 된 한자인지, 아니면 단어인지
어떻게 구별할 수 있을까? 기본형 한자든 복합형 한자든 하나의
한자는 네모 칸 하나에 맞춰 써야 한다.

옆에서 보는 것과 같이 사람을 나타내는 한자 두 개가 칸 하나에
나란히 들어가 있으면 하나의 한자라는 뜻이다.
从은 '따르다'라는 의미의 간체자다.

이와 달리 단어는 두 개 이상의 네모 칸으로 구성된다. 각 한자가
두 개 이상의 칸에 적혀 있으면 단어가 되는 것이다. 예를 들어
'사람마다'를 의미하는 人人은 단어다.

이 책의 가장 큰 장점은 이미 있는 한자를 이용해 새로운 단어를
많이 만들 수 있다는 것이다. 중국어에서 한자는 단독으로 잘 쓰지
않는다. 그리고 정확한 의미를 알려면 그 한자가 쓰인 단어의
문맥을 살펴보아야 한다.

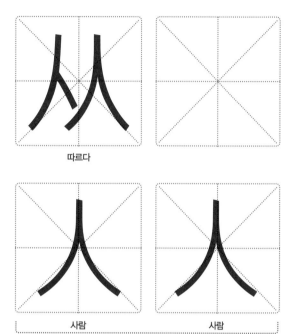

따르다

사람　　사람

사람마다

발음의 기초

한어병음은 한자의 발음을 알파벳으로 표기한 표준 발음 체계다.
중국어는 성조가 있기 때문에 병음에도 성조를 나타내기 위해
숫자나 기호를 사용한다. 가령 '사람'이라는 한자의 병음은 [ren²]
혹은 [rén]으로 쓰는데 이 책에서는 두 번째 방식으로 성조를
표현했다. 16쪽 '사람'이라는 한자 人[rén]을 참고하라.
성조는 책을 보면서 공부하는 것만으로는 터득하기 어렵다.
홈페이지에서 MP3를 다운로드 받아 반복해 연습하기를 추천한다.

제1성 = ā = 가장 높은 성조. 처음부터 끝까지 높은 음을 길게 낸다
제2성 = á = 중간음에서 시작해 끝이 올라가는 소리
제3성 = ǎ = 조금 낮은 음에서 시작해 떨어졌다가 다시 올라가는 소리
제4성 = à = 가장 높은 음에서 낮음으로 떨어지는 소리
숫자가 없음 = 평범하고 자연스러운 소리

2

기본을 익히자

기본형, 복합형, 단어조합

응용표현

人 **사람** [rén]

(사람 인) 맨 처음 배울
기본형 한자는 '사람'이다.
마치 걸어가는
사람의 옆모습처럼 보인다.

亻 **사람** [rén]

동일하게 '사람'을 나타내지만,
부수로 사용하는 형태다. 29쪽의
伙를 참고하라.

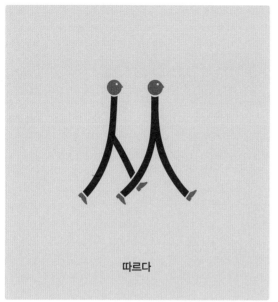

따르다

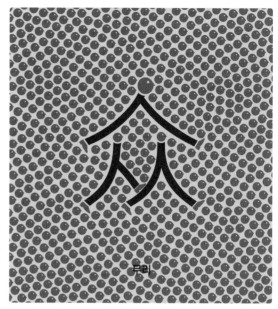

무리

크다

남자

从 따르다 [cóng]

(따를 종) 한 사람이 앞에 가고 바로 뒤에 다른 사람이 따라오는 형태다. '~부터'라는 의미로도 쓰이는데, 뒤에 시간이나 장소가 따라온다. 번체자는 從이다.

众 무리 [zhòng]

(무리 중) 둘이 있으면 짝이 되고 셋부터는 무리가 된다. 사람을 뜻하는 한자 세 개가 '무리'를 만들었다. '많은 사람', '많다'라는 의미로도 쓰인다. 번체자는 衆이다.

大 크다 [dà]

(큰 대) 사람이 팔을 쭉 뻗은 모습을 나타낸다. "여기 봐. 이렇게 크다니까!"라고 말하는 사람의 모습을 생각해보라.

夫 남자 [fū]

(지아비 부) '크다'의 大 위에 가로획 하나를 그어서 만든다. 마치 넓은 어깨를 그려놓은 듯하다. '남편'을 뜻하기도 한다.

大人 어른/성인 [dàrén]

키가 크다고 다 어른은 아니지만
그래도 어른은 몸집이 크다.
크다 + 사람 = 어른/성인

大众 대중 [dàzhòng]

대중은 큰 무리들로 이루어진다.
크다 + 무리 = 대중

众人 많은 사람 [zhòngrén]

무리는 다양한 사람들로
구성된다. 이 단어는 '모든 이들'
이라는 의미도 있다.
무리 + 사람 = 많은 사람

夫人 부인 [fūrén]

고대 중국에서 여자는 결혼 후
남편의 소유물에 지나지 않았다.
여자는 남편의 사람이 된다.
남자/남편 + 사람 = 부인

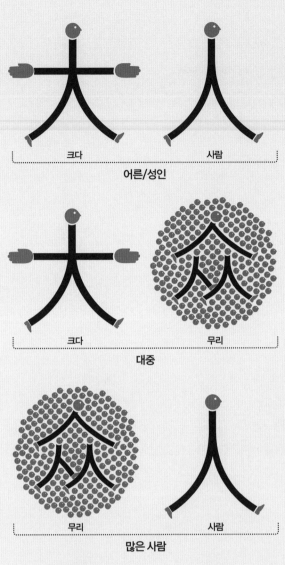

크다   사람

어른/성인

크다   무리

대중

무리   사람

많은 사람

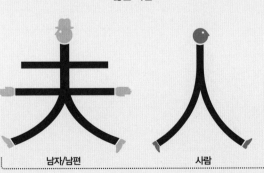

남자/남편   사람

부인

지나치게

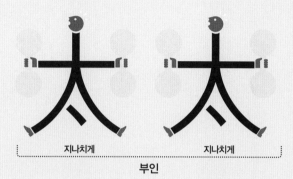

지나치게   지나치게

부인

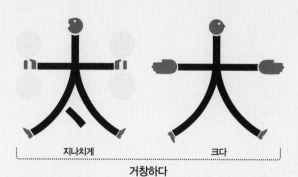

지나치게   크다

거창하다

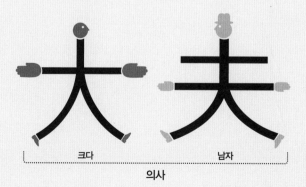

크다   남자

의사

太 지나치게 [tài]

(클 태) 大자 밑에 획 하나를 찍어 만들었다. 훨씬 더 크다는 뜻으로 '너무', '매우', '몹시'라는 의미로도 쓴다.

太太 부인 [tàitai]

좀 이상한 단어다. '지나치게'가 두 개가 모이면 '부인' 혹은 '아내'라는 뜻이 되다니.
지나치게 + 지나치게 = 부인

太大 거창하다 [tàidà]

너무나 간단한 단어다.
지나치면 거창해 보일 때도 있다.
지나치게 + 크다 = 거창하다

大夫 의사 [dàifu]

이 단어에는 두 가지 의미가 있다. 편안하고 부드럽게 [dài+fu]로 발음하면 '의사'라는 뜻이 되지만 [dà+fū]로 발음하면 '계급이 높은 사람'이라는 뜻이다.
크다 + 남자 = 의사

天 하늘 [tiān]

(하늘 천) 大 위에 획 하나를
올려놓으면 '하늘', '천국'이라는
뜻이 된다. 옛날에 가로 획은
사람과 땅 위의 영혼 세계를
의미했다. 이 한자는 '하루'를
뜻하기도 한다.

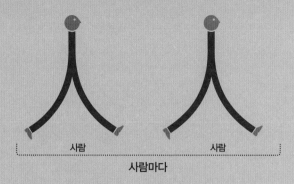

사람마다

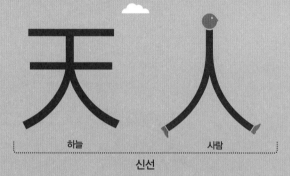

신선

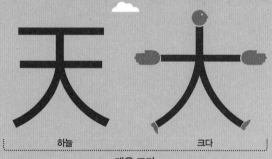

매우 크다

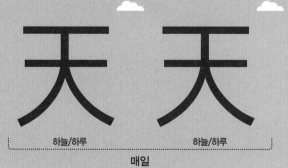

매일

人人 사람마다 [rénrén]
사람 + 사람 = 사람마다

天人 신선 [tiānrén]
하늘 + 사람 = 하늘과 사람
= 하늘에서 내려온 사람, 신선

天大 매우 크다 [tiāndà]
하늘보다 무엇이 크겠는가?
하늘 + 크다 = 하늘만큼 크다
= 매우 크다

天天 매일 [tiāntiān]
앞에서 말한 것처럼 天의
또 다른 의미는 '하루'다.
하루 + 하루 = 매일

口 **입** [kǒu]

(입 구) 이 한자는 크기에 따라
의미가 달라진다. 크기가 작으면
'입', 크면 '에워싸다'라는 뜻이다.

口 **에워싸다**

입을 뜻하는 口와 어떤 차이가
있는지 구별하겠는가?
이 한자는 절대 단독으로 쓰지
않고, 보통 복합형 한자에서
'에워싸다'라는 의미로 사용한다.
口가 혼자 쓰일 땐 '입'을
의미한다. '에워싸다'라는 의미를
나타낼 때 단독으로 쓰는 한자는
围[wéi]다.

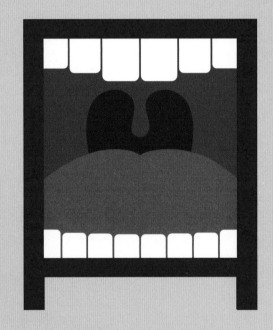

외침

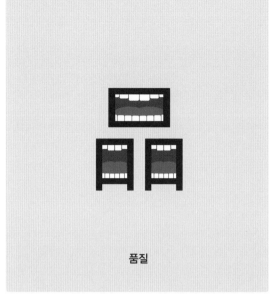

품질

이유

돌아가다

吅 외침 [xuān]

소리는 입에서 나온다. 입이 두 개면 더 많은 소리가 나지 않겠는가! 잘 쓰지 않는 한자이나 중국 친구들에게 실력을 뽐내고 싶을 때 써먹을 수 있을 것이다.

品 품질 [pǐn]

(물건 품) 입들이 각각 의견을 말하고 있다. 물건의 품질은 사람들이 하는 말로 판단된다. '물건', '제품', '등급'이라는 의미로도 쓰인다.

因 이유 [yīn]

(인할 인) '에워싸다'를 의미하는 口와 大가 결합했다. '~때문에'라는 의미로도 쓰인다.

回 돌아가다 [húi]

(돌 회) 작은 입과 '에워싸다'를 합했다. 욕조에 있던 물이 소용돌이처럼 돌아가며 빠져나가는 모습을 떠올리면 기억하기 쉽다. '되돌아오다'를 뜻하기도 한다.

人口 인구 [rénkǒu]

인구는 일정 지역에 사는
사람들의 총 수다.
사람 + 입 = 인구

人品 인품 [rénpǐn]

사람의 됨됨이는 그 사람의
인품을 보고 판단해야 한다.
사람 + 품질 = 인품

回人 회족 사람 [húirén]

回는 이슬람교를 믿는 중국의
소수민족인 '회족'을 뜻하기도
한다. 이들은 중국에서 공인한
소수민족 중 하나다.
회족+사람=회족 사람

人魚 인어 [rényú]

고대 중국에서는 큰 도롱뇽을
지칭하는 단어였으나
오늘날에는 '인어'를 뜻한다.
사람 + 물고기 = 물고기인 사람
= 인어

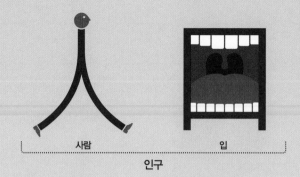

사람 / 입
인구

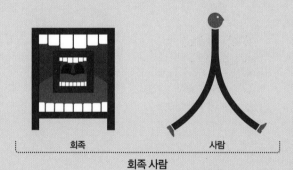

사람 / 품질
인품

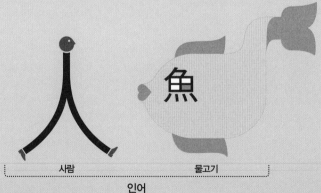

회족 / 사람
회족 사람

사람 / 물고기
인어

魚 물고기 [yú]
(물고기 어) 갑골문자나 고대 한자 서체인 전서에서는 수상 척추동물을 의미했으나 시간이 지나며 그 의미가 '물고기'로 변했다. 간체자는 鱼 이다.

犬 개 [quǎn]

(개 견) 大의 오른쪽 위에 점을
하나 찍어 만들었다. 갑골문자
초기 형태에 개의 형상이 그려져
있었는데, 오른쪽 위의 점은
꼬리를 의미했다.
'개'를 뜻할 때 狗를 자주 쓰지만,
복합형 한자에 犬이 쓰이므로
알아두면 좋다.

犭 개 [quǎn]

개犬을 변형한 것으로 부수로
쓰인다. 113쪽 '거닐다'를
참고하라.

짖다　　　　　울다　　　　　그릇

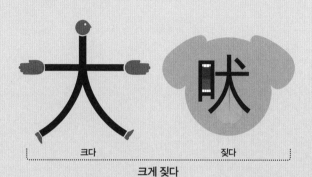

크다　　　　　　　　짖다

크게 짖다

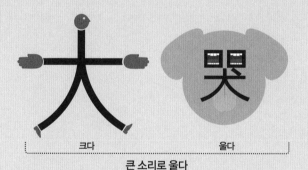

크다　　　　　　　　울다

큰 소리로 울다

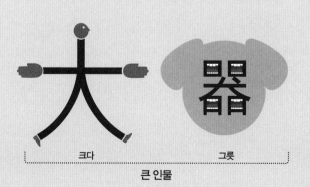

크다　　　　　　　　그릇

큰 인물

吠 짖다 [fèi]
(짖을 폐) 입과 개가 결합했다.
개가 입을 벌리고 소리를 내면
짖는 소리가 난다.

哭 울다 [kū]
(울 곡) 개와 입을 뜻하는 口가
두 개 결합했다. 소리내어서
운다는 의미다.

器 그릇 [qì]
(그릇 기) 개와 네 개의 입을
합했다. '도구'라는 의미도 있다.

大吠 크게 짖다 [dàfèi]
크다 + 짖다 = 크게 짖는 소리
= 크게 짖다

大哭 큰 소리로 울다 [dàkū]
그밖에도 '울음이 터지다'라는
의미로도 쓰인다. 크다 + 울다
= 큰 울음 = 큰 소리로 울다

大器 큰 인물 [dàqì]
'훌륭한 재능'이라는 뜻도 있다.
크다 + 그릇 = 큰 인물

火 불 [huǒ]

(불 화) 큰 불꽃이 중앙에 있고
작은 불씨가 양측에 붙은 모습이다.
캠프파이어의 모닥불을 연상시키
기도 하는데, "도와주세요! 제 몸에
불이 붙었어요!"라고 외치며
팔을 휘젓는 사람을 떠올리면
기억하기 쉬울 것이다.

灬 불 [huǒ]

불火를 변형한 것으로 부수로
사용한다. 이 부수가 들어가면
불이나 뜨거운 것과 관련 있다.
41쪽의 '어린 양'을 참고하라.

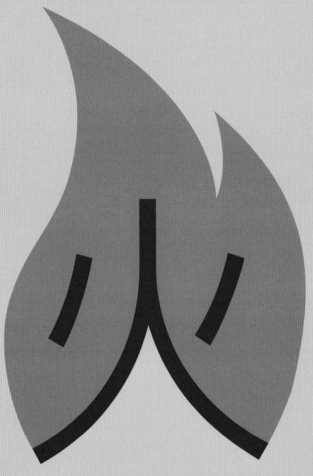

뜨겁다

화염

무리

먹다

炎 뜨겁다 [yán]

(불꽃 염) 두 개의 불이 위아래로 쌓여 있는 모습이다. 그래서 두 배 더 뜨겁다. '무덥다', '염증'이라는 뜻으로도 쓰인다.

焱 화염 [yàn]

(불꽃 염) 火는 불꽃 하나를 나타내지만 이것이 세 개가 되면 활활 타오르는 화염으로 변한다. 주로 인명에 쓰인다.

伙 무리 [huǒ]

(세간 화) 고대 중국에서 불은 주로 요리와 난방을 위해 사용했는데, 불 주변에 모여 든 사람들은 그 집단의 일원으로 간주하였다. '공동 식사', '동료/친구'의 의미로도 쓰인다.

啖 먹다 [dàn]

(먹을 담) 입과 불이 결합한 것으로 '먹다' 혹은 '먹이다'라는 뜻이 있다. 중국 음식은 입에 불이 날 정도로 매운 것들이 많은데, 특히 쓰촨성 음식이 맵기로 유명하다.

炎炎 타는 듯하다 [yányán]

이글거리는 불꽃은 뜨거운 열기로
타오른다. 이 단어는 炎炎夏日
'타는 듯이 뜨거운 여름'처럼
날씨를 말할 때 쓴다.
뜨겁다 + 뜨겁다 = 타는 듯하다

焱焱 불덩어리 [yànyàn]

같은 뜻인 단어를 반복해서
썼다고 생각할 수도 있겠지만
열정의 불꽃과 같이
다른 의미의 불꽃도 있다.
화염 + 화염 = 불덩어리

大伙 모두들 [dàhuǒ]

고대 중국에서 불을 피우는
행위는 요리할 시간이라는 것을
의미했다. 불 주변에 모여 음식을
함께 먹는 사람들은 '배우자'나
'친구', '동료'였다.
크다 + 무리 = 모두들

뜨겁다 뜨겁다

타는 듯하다

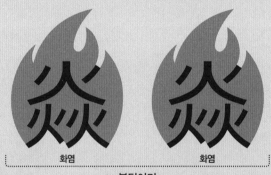

화염 화염

불덩어리

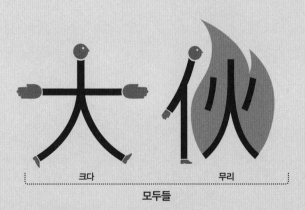

크다 무리

모두들

울화통에 관한 고찰

불火은 중국 전통 의학에서 가장 중요시하는 5대 기본 요소(오행五行) 중 하나다.
5대 요소는 사람마다 각기 다르게 구성되어 태어나는데
이들이 어떻게 구성되어 있는지에 따라 성격과 체질이 달라진다.
중국 의학 이론에서는 이런 요소들이
불균형을 이루면 아프게 된다고 생각하는데,
특히 '불'이 균형을 이루지 못하면 걱정, 불안, 불면증과 같은 문제가 생긴다고
한다. 불이라는 요소는 사람들이 화를 내는 기질과 관련이 있다.
이론적으로 내면에 불이 자꾸 쌓이면, 그 사람의 화도 쌓이게 되어
결국에는 울화통이 터지게 된다는 것이다.

火大 화가 나다 [huǒdà]
분노에 타오르는 사람은
매우 화가 난 사람이다.
이 단어는 비속어로 쓰인다.
불＋크다＝화가 나다

大火 큰불 [dàhuǒ]
아주 간단한 단어다.
크다＋불＝큰불

불   크다

화가 나다

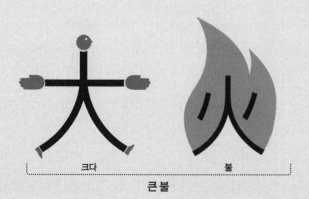

크다   불

큰불

木 나무 [mù]

(나무 목) 나무에 줄기가 달려 있는 모습을 하고 있다. '나무로 만든', '검소하다', '순박하다', '굳다' 등의 뜻으로도 쓰인다.

수풀

산림

기초/근본

오다

林 수풀 [lín]

(수풀 림) 나무 두 그루가 수풀을 이루면 그 푸르름은 나무 한 그루보다 더 크다. 이 한자는 성姓으로도 쓰인다.

森 산림 [sēn]

(나무 빽빽할 삼) 나무 세 그루는 산림을 만드는데, 이는 한두 그루보다 훨씬 더 푸르다. 형용사일 때는 나무들이 빽빽하게 들어선 것처럼 '빽빽하게 많다' 혹은 '무성하다'라는 의미다.

本 기초/근본 [běn]

(근본 본) 집을 지을 때는 가장 먼저 기초부터 만든다. 과거에 집의 기초는 목재로 만들었다. '근본'이라는 뜻으로도 쓰인다.

來 오다 [lái]

(올 래) 나무에 '사람'이라는 한자 두 개가 붙어 있다. 간체자는 **来**이다.

本來 원래 [běnlái]
근본 + 오다 = 원래

本人 본인 [běnrén]
사람의 근본은 본인의 자아에
영향을 준다.
근본 + 사람 = 사람의 근본 = 본인

來人 심부름꾼 [láirén]
통신수단이 없던 때
사람이 모든 메시지를 전달했다.
이 단어는 옛날에 쓰이던 것으로
시적인 느낌을 주기도 한다.
오다 + 사람 = 심부름꾼

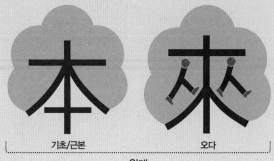

기초/근본　　　　오다
원래

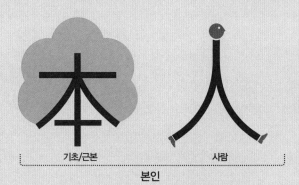

기초/근본　　　　사람
본인

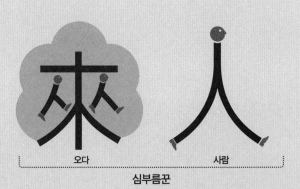

오다　　　　사람
심부름꾼

문장을 쓰는 방향

"나는 화가 났다"를 문장으로 어떻게 쓸까?

중국어 문장은 가로로 쓸까, 아니면 세로로 쓸까?

중국어는 두 방향 모두 가능하다. 왼쪽에서 오른쪽으로,

오른쪽에서 왼쪽으로도 쓸 수 있고 위에서 밑으로 써내려갈 수도 있다.

하지만 밑에서 위로 올라갈 수는 없다.

오늘날 가장 많이 쓰는 스타일은 영어, 프랑스어, 스페인어, 독일어처럼

왼쪽에서 오른쪽으로 쓰는 방식이다.

오른쪽에서 왼쪽으로 쓴 것이 고대 문학이나 중국의 도로 표지판에 종종 있는데,

영어와 중국어가 같이 쓰인 경우라면 읽을 때 상당히 어색하게 느껴진다.

어떤 책 표지는 영어 제목은 왼쪽에서 오른쪽으로,

중국어 제목은 오른쪽에서 왼쪽으로 적혀 있는 경우도 있다.

두루마리에 적힌 글은 세로로 적혀 있는데 오른쪽에서 왼쪽으로 읽어야 한다.

오른쪽에 있는 세로줄 맨 위부터 시작해서 아래로 내려가며

두루마리의 왼쪽 방향으로 읽어나가도록 한다.

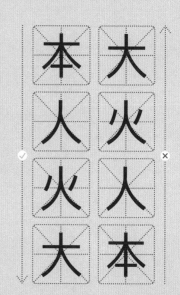

本人火大 나는 화가 났다. [běn rén huǒ dà]
본인 + 화가 나다 = 본인이 화가 났다 = 나는 화가 났다

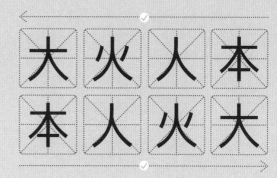

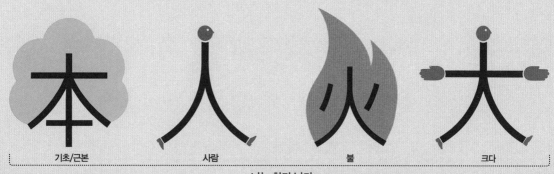

기초/근본   사람   불   크다

나는 화가 났다

살구

멍청하다

아직 ~ 하지 않다

끝

杏 살구 [xìng]
(살구나무 행) 나무와 입을 합했다. 입을 벌리고 나무 아래에 있으면 살구가 입속으로 떨어지지 않을까?

呆 멍청하다 [dāi]
(어리석을 태) 나무와 입을 다른 형태로 합했다. 나무가 말을 한다고 생각하는 건 어리석다. '어리석다', '둔하다'로도 쓰인다.

未 아직 ~ 하지 않다 [wèi]
(아닐 미) 고대 문자에서 이 한자는 이파리나 단풍이 풍성하게 붙은 실제 나무의 모습을 형상했다. '미래'라는 의미로도 쓰인다.

末 끝 [mò]
(끝 말) 이 나무의 맨 위 나뭇가지는 다 자란 것처럼 보인다. 위의 획이 아래 획보다 더 길어야 하며 '최후의', '마지막의'라는 뜻도 있다.

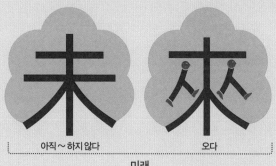

未 아직~하지 않다   來 오다

미래

回 돌아가다   來 오다

되돌아오다

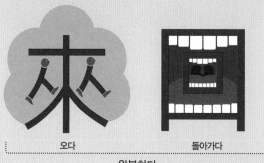

來 오다   回 돌아가다

왕복하다

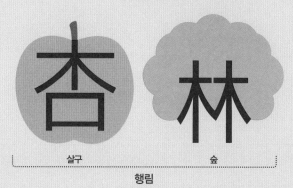

杏 살구   林 숲

행림

未來 미래 [wèilái]
아직 ~ 하지 않다 + 오다 = 미래

回來 되돌아오다 [húilái]
돌아가다 + 오다 = 되돌아오다

來回 왕복하다 [láihúi]
오다 + 돌아가다 = 왔던 곳으로
다시 돌아가다 = 왕복하다

杏林 행림 [xìnglín]
'살구나무 숲'을 말한다.
중국 오나라에 명의가 있었는데,
환자를 치료해주고는 돈 대신
살구나무 묘목을 받았다고 한다.
시간이 흐른 후 살구나무는 숲을
이루었고, 명의는 그 살구 열매를
곡식과 바꾸어 가난한 이들에게
나눠줬다고 한다. 이후 '행림'은
의사나 의료를 아름답게 부르는
말로 쓰였다.
살구 + 숲 = 살구나무 숲 = 행림

休 휴식하다 [xiū]
(쉴 휴) 사람과 나무가 결합했다.
사람이 나무에 기대어 쉬는
모습을 연상하면 기억하기 쉽다.

体 신체 [tǐ]
(몸 체) 사람과 근본이 결합했다.
사람의 근본은 신체에 있다.
'몸'으로도 쓰이며 번체자는
體이다.

人体 인체 [réntǐ]
사람 + 신체 = 인체

大体 대체로 [dàtǐ]
이 단어는 '대체', '대략'이라는
뜻으로 사용한다.
크다 + 신체 = 대체로

휴식하다　　　　신체

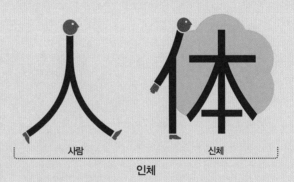

사람　　　　신체
인체

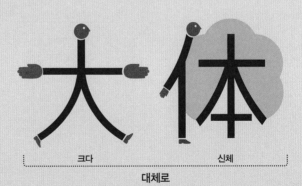

크다　　　　신체
대체로

竹 대나무 [zhú]

(대 죽) 이 한자는 대나무 두 개에 이파리가 붙은 모습이다.

笨 어리석다 [bèn]

(멍청할 분) 대나무와 근본을 결합한 것으로 '어리석다'라는 뜻이 있다. 이 책을 읽으며 자신이 笨하다고 생각하지는 않았겠지? 그런데 이 책, 쉽지 않은가?

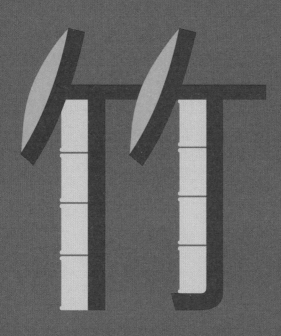

羊 양 [yáng]

(양 양) 중국어에서 羊은 염소 과科 동물 전체를 지칭한다. 그래서 이 한자가 쓰인 복합형 한자나 단어는 문맥에 따라 양인지 염소인지 아니면 다른 동물인지 판단해야 한다. 복합형 한자에서 羊이 등장하면 양과 같은 모습, 혹은 긍정적인 의미와 관련 있다.

아름답다

신선하다

새끼 양

양의 울음소리

美 아름답다 [měi]
(아름다울 미) 양과 '크다'가 결합했다. 고대 중국인은 양이 행운을 가져다준다고 생각했다. 또한 이 한자는 '미국'의 약자로도 쓰인다. 79쪽을 참고하라.

鮮 신선하다 [xiān]
(싱싱할 선) 왼쪽에는 '물고기'가 오른쪽에는 '양'이 결합했다. 원래는 물고기의 새끼를 의미했으나 오늘날에는 뜻이 확장되어 '신선하다'라는 의미로 사용한다. 간체자는 鲜이다.

羔 새끼 양 [gāo]
(새끼양 고) 양과 불을 결합했다. 동물의 새끼를 의미하기도 한다.

咩 양의 울음소리 [miē]
(양이 울 미) 입과 양이 결합한 것으로 양의 입에서 나오는 울음 소리인 "메에에~"를 의미한다.

山 산 [shān]

(뫼 산) '산'이라는 뜻으로
산꼭대기를 본뜬 것이다.

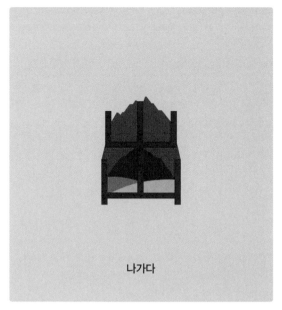

나가다

꾸짖다

신선

두 개의 산

出 나가다 [chū]
(날 출) 과거에는 중국의 황제가 누군가를 추방시킬 때 산을 넘어 다른 곳으로 보냈다고 한다. 그런 의미에서 이 한자는 '퇴장하다'라는 의미로도 사용된다.

咄 꾸짖다 [duō]
(꾸짖을 돌) 입과 산이 결합하여 만든 것으로 '꾸짖는 소리'라는 의미로도 쓰인다.

仙 신선 [xiān]
(신선 선) 사람과 산을 결합한 것으로 '비범한 사람'이라는 의미도 있다.

屾 두 개의 산 [shēn]
(같이 선 산 신) '두 개의 산'이라는 뜻 이외에 성姓으로 주로 쓰인다.

出口 출구 [chūkǒu]

어디로 나가야 하는지
말해주는 입은 출구다.
나가다 + 입 = 출구

出來 나오다 [chūlái]

아주 쉬운 단어다.
나가다 + 오다 = 나오다

出品 생산하다 [chūpǐn]

사람들에게 제품을 주려면
무엇을 해야 하는가?
당연히 제품을 생산해야 한다.
'출품하다'의 의미로도 쓰인다.
나가다 + 물건 = 생산하다

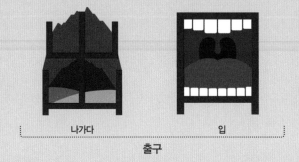

나가다   입

출구

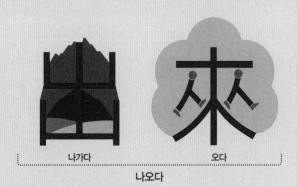

나가다   오다

나오다

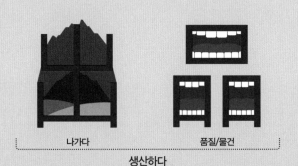

나가다   품질/물건

생산하다

불 · 산
화산

火山 화산 [huǒshān]
불＋산＝화산

火山口 분화구
[huǒshānkǒu]
화산＋입＝화산의 입＝분화구

休火山 휴화산
[xiūhuǒshān]
휴식하다＋화산＝쉬는 화산
＝휴화산

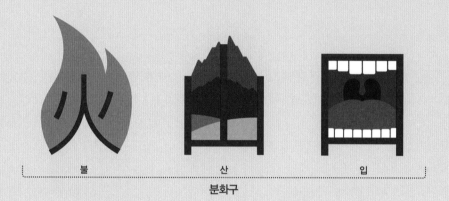

불 · 산 · 입
분화구

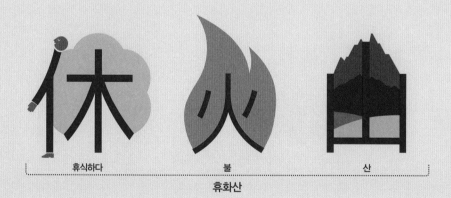

휴식하다 · 불 · 산
휴화산

女 여자 [nǚ]

(계집 녀) 바닥에 무릎을 꿇고 앉아
있는 여자의 모습에서 유래했다.
'딸'을 나타내기도 하며 형용사로
쓰일 땐 '여성의'라는 뜻이다.

같은 한자를 반복하는 중국어

두 여자가 함께 있는 한자는 '말다툼'을 의미한다.

여러분도 이제 눈치챘겠지만 중국어에서 한자 하나만 단독으로

쓰이는 경우는 거의 없다. 여러 상황에서 의미를 명확하게 전달하기 위해

다른 한자와 함께 쓰이는 경우가 많은데, 같은 한자가 반복되어 만드는 한자도 많다.

다음 페이지에 나오는 '여동생'이라는 의미의 妹는 반복해서 妹妹라고 쓰는 것이

더 일반적이다. 이런 현상은 중국어에서 아주 흔히 볼 수 있다.

156쪽에 이와 관련된 구체적인 예가 있다.

반복해서 쓰면 그 단어의 의미가 더 확실하게 전달된다.

人人(사람마다, 21쪽), 天天(매일, 27쪽), 白白(헛되게, 63쪽),

媽媽(엄마, 77쪽), 公公(할아버지, 141쪽) 모두 글자가 반복되는 단어의 예다.

영어 단어처럼 한자도 명사, 동사, 형용사로 쓰인 경우에 따라 뜻이 달라지기도 한다.

女는 '여자'라는 명사지만 '여자, 여인'를 말할 때는 女人이라는 단어를 더 많이 쓴다.

이 경우 女를 '여성의'라는 형용사로, 人을 '사람'이라는 명사로 사용한 것이다.

또 다른 예는 '숲'이다. 森이라는 한자는 '숲, 산림'을 의미하지만(33쪽),

보통 '숲'을 말할 때는 森林이라는 단어를 더 많이 쓴다(156쪽).

이 경우 森는 '숲과 같은'이라는 형용사로서 뒤에 있는

명사 林(수풀, 나무 여러 그루)을 수식해준다. '내일'이라는 단어도 좋은 예다.

明이라는 한자는 '밝다', '밝음', '내일'을 의미한다(57쪽).

하지만 '내일'을 의미할 때는 明日이라는 단어를 더 많이 쓰는데

明은 형용사로서 '하루'라는 명사 日을 수식해주는 역할을 한다.

妠 말다툼 [núan]

(송사할 난) 과거에는 두 여자가
한 방에 있으면 으레 말다툼을
한다고 생각했다.

姦 간통 [jiān]

세 여자와 함께 있는 남자는 으레
바람을 피운다.

따르다

여동생

딸

탐내다

如 따르다 [rú]

(같을 여) 여자와 입을 결합했다. 고대 중국에서는 여자들이 함부로 의견을 말하지 못 하도록 복종을 강요받았다. '～와 같이(65쪽 참고)', '만일, 만약(87쪽 참고)'의 뜻도 있다.

妹 여동생 [mèi]

(누이 매) 여자와 '아직 ～하지 않다'의 未가 결합한 것으로, 말 그대로 '아직 여자가 되지 않은'이라고 해석한다. 어린 여동생을 지칭할 때 쓴다.

囡 딸 [nān]

(아이 닙) 여자와 '에워싸다'가 결합했다. 과거 중국 여자아이들은 결혼할 때까지 단정함을 잃지 않기 위해 가족들의 보호를 받으며 집 안에 있었다. '어린이'라는 뜻으로도 쓰인다.

婪 탐내다 [lán]

(탐할 람) 산림과 여자를 합한 한자다. '욕심내다'라는 의미로도 쓰인다.

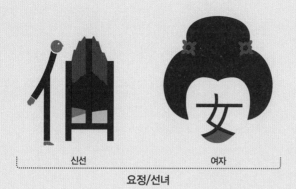

신선 　　　　 여자

요정/선녀

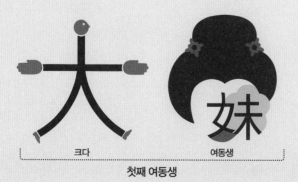

여자/여성의 　　　 사람

여인

仙女 요정/선녀 [xiānnǚ]

신화에 등장하는
불멸의 존재 중 요정들은
대부분 여자와 관련이 있다.
신선 + 여자 = 요정/선녀

女人 여인 [nǚrén]

여성스러운 사람은 '여인'이다.
여자/여성의 + 사람 = 여인

大妹 첫째 여동생 [dàmèi]

중국에서 가족 간의 서열은
상당히 중요했다.
집안의 권위는 나이와 성별을
바탕으로 정해졌는데, 남자들이
나이순으로 집안의 위계 순서에
오른 다음 여자는 첫째부터
막내까지 서열을 정했다.
크다 + 여동생 = 큰 여동생
= 첫째 여동생

크다 　　　　 여동생

첫째 여동생

鳥 새 [niǎo]

(새 조) 갑골문자에서 이 한자는
새를 묘사했다. 현재는 발톱
네 개와 큰 꼬리털 한 개가 있는
새의 모습을 하고 있다.
간체자는 鸟이다.

日 해 [rì]

(날 일) 갑골문자에서 '해'를
의미하는 글자는 동그라미
가운데에 점을 찍은 모양이었다.
그러다가 시간이 지나면서 서양의
창문을 닮은 형태로 변화했다.
이 한자는 '하루'를 뜻하기도 한다.

아침

빛나다

동쪽

조사하다

旦 아침 [dàn]

(아침 단) 해가 수평선 위로 떠오르는 장면을 생각하면 기억하기 쉽다.

晶 빛나다 [jīng]

(밝을 정) 과거에는 세 개의 동그라미로 표현했는데, 두 개를 밑에 그리고 그 위에 한 개를 올려놓은 모양이었다. '반짝이다', '똑똑하다', '수정'의 의미도 있다.

東 동쪽 [dōng]

(동녘 동) 나무와 해를 합했다. 해는 동쪽에서 떠오르고, 사람들은 나무 사이로 해가 뜨는 것을 보았을 것이다. 간체자는 东 이다.

查 조사하다 [chá]

(조사할 사) 원래는 '뗏목'을 의미했다. 수평선 너머에 무엇이 있는지를 조사하러 가려면 뗏목이 필요했을 것이다.

山東 산동 지역 [shāndōng]

산동은 중국 동쪽 해안에 위치한
지역이다. 중국에서 문화적으로
가장 중요한 곳 중 하나로 도교의
역사적 중심지이자 유교의
발생지. '산의 동쪽'이라는
뜻의 山東은 이곳이 타이항 산의
동쪽에 있기 때문에 붙여졌다.

山東人
산동인 [shāndōngrén]

산의 동쪽 + 사람
= 산동 지역 사람 = 산동인

山東女人
산동 여자 [shāndōngnǚrén]

산의 동쪽 + 여자
= 산동 지역 여자 = 산동 여자

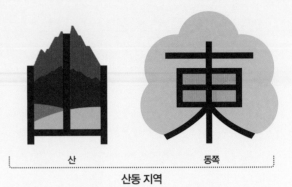

산 　　　　　　 동쪽

산동 지역

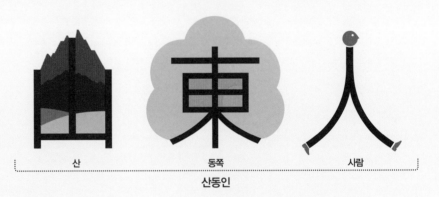

산 　　　　 동쪽 　　　　 사람

산동인

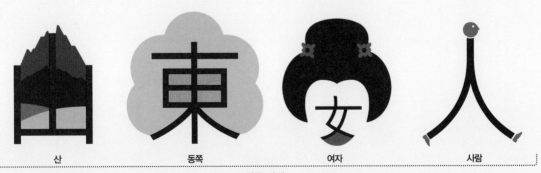

산 　　 동쪽 　　 여자 　　 사람

산동 여자

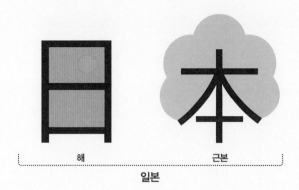

해 　　　　　근본

일본

日本 일본 [rìběn]

일본은 중국의 동쪽에 위치해
있다. 해는 동쪽에서 떠오른다.
해 + 근본 = 일본

日本人
일본인 [rìběnrén]

일본 + 사람 = 일본인

日本女人
일본 여자 [rìběnnǚrén]

일본 + 여자 = 일본 여자

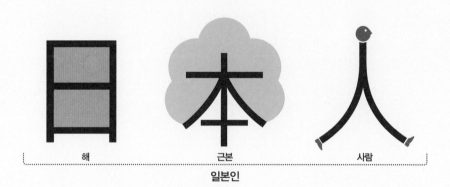

해 　　　　　근본 　　　　　사람

일본인

해 　　　　　근본 　　　　　여자 　　　　　사람

일본 여자

月 달 [yuè]

(달 월) 초승달 모양에서 유래했다.
'월'이라는 뜻으로도 쓰인다.

肉 = 月 고기 [ròu]

(고기 육) 고기 혹은 육류를
뜻하는 肉이 부수로 쓰일 때는
달月과 비슷해 보인다. 두 한자의
차이를 그냥 구분할 수는 없고,
부수로 쓰인 한자의 의미로
뜻을 파악한다. 식당 메뉴판에
月이 부수로 쓰인 한자나, 肉이
쓰였다면 고기가 들어간 요리라고
생각하면 된다.

친구

밝다

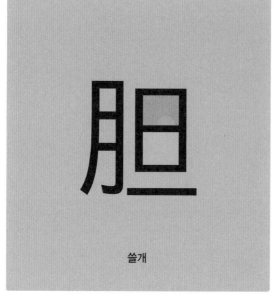

쓸개

피부

朋 친구 [péng]
(벗 붕) 상형문자에서는 조개 껍질 두 개를 그린 것이었다. 당시에는 조개가 화폐로 사용되고 있었다.

明 밝다 [míng]
(밝을 명) 해와 달이 동시에 뜨면 '밝다' 혹은 '환하다'라는 한자가 된다. '내일의, 내년의'라는 뜻도 있다. 47쪽 설명을 참고하라.

胆 쓸개 [dǎn]
(쓸개 담) 무언가를 담는 '용기'를 뜻하기도 한다. 번체자는 膽이다.

肤 피부 [fū]
(살갗 부) 고기와 남자가 결합한 한자다. 번체자는 膚이다.

查出 알아내다 [cháchū]

조사하다 + 나가다
= 조사해 나가다 = 알아내다

查明 조사하여 밝히다
[chámíng]

조사하다 + 밝다 = 조사한 것을
명확하게 하다 = 조사하여 밝히다

來日 장래에 [láirì]

해를 나타내는 日은 '날'이라는
뜻으로도 쓰인다.
오다 + 날 = 장래에

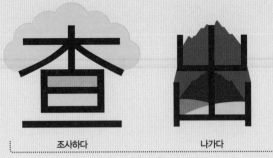

조사하다   나가다

알아내다

조사하다   밝다

조사하여 밝히다

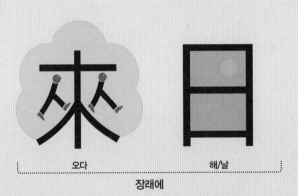

오다   해/날

장래에

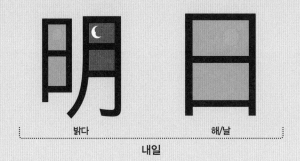

밝다   해/날

내일

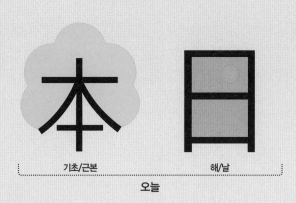

기초/근본   해/날

오늘

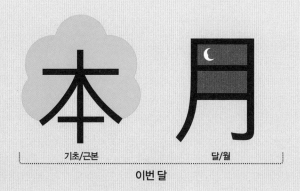

기초/근본   달/월

이번 달

明日 내일 [míngrì]

낮과 밤이 지나면 내일이 온다.

밝다 + 날 = 내일

本日 오늘 [běnrì]

근본이 되는 + 날 = 오늘

本月 이번 달 [běnyuè]

'해'가 '날'이 되는 것처럼
'달'도 '월'의 의미로 쓸 수 있다.

근본이 되는 + 달/월 = 이번 달

工 일 [gōng]
(장인 공) 갑골문자에서는 도구의
모양을 묘사했는데 '도구를 들고
있는' 혹은 '목수용 직각자'를
뜻했다. 오늘날에는 그 의미가
확장되어 '일', '노동', '기술'의
뜻으로 쓰인다.
工이 쓰인 한자는 다음과 같다.
左 왼쪽 [zuǒ]
右 오른쪽 [yòu]
巫 무당 [wū]

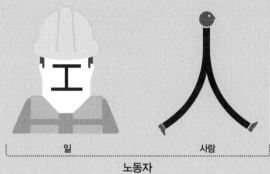

일   사람

노동자

工人 노동자 [gōngrén]

일 + 사람 = 일하는 사람
= 일꾼 혹은 노동자

人工 인공적인 [réngōng]

사람 + 일 = 사람의 일 = 인공적인

女工 여성 노동자 [nǚgōng]

여자 + 일 = (바느질 등) 여자의 일
= 여성 노동자

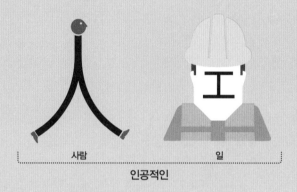

사람   일

인공적인

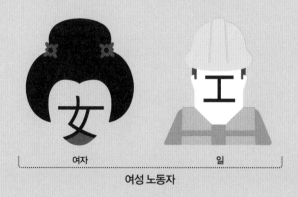

여자   일

여성 노동자

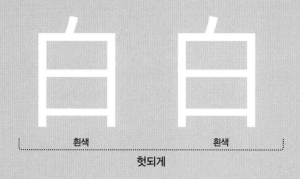

흰색   흰색

헛되게

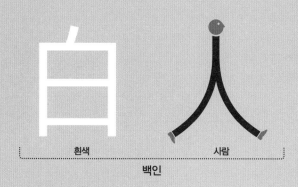

흰색   사람

백인

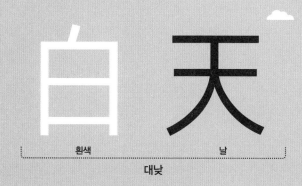

흰색   날

대낮

白白 헛되게 [báibái]
흰색 + 흰색 = 헛되게/의미 없는

白人 백인 [báirén]
흰색 + 사람 = 흰 사람 = 백인

白天 대낮 [báitiān]
여기에서 天은 '날'의 뜻으로 쓰였다. 흰색 + 날 = 대낮

習 배우다/연습하다 [xí]
(익힐 습) 이 한자는 '깃털'과 '흰색'이 합해진 것이다. 원래는 비행을 배우는 것을 뜻했다. 간체자는 习 이다.

虎 호랑이 [hǔ]
(범 호) 호랑이를 나타내는
이 기본형 한자에는 '용감하다',
'용맹하다'라는 뜻도 있다.

唬 겁주다 [hǔ]
(부르짖을 호) 입과 호랑이가
결합했다. 한밤중에 호랑이가
으르렁거리는 소리를 들으면
얼마나 무서울지 생각해보라.

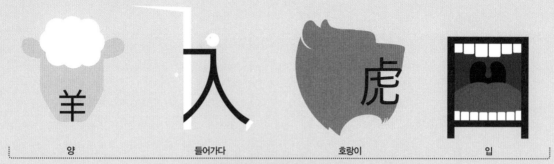

양이 호랑이 입으로 들어가다

관용표현으로 쓰이는 **羊入虎口**는 '양이 호랑이 입으로 들어가다'라는 뜻이다.
위험한 상황으로 들어가 희생자가 될지도 모른다는 의미로 매우 위험하다는 경고의 표현이다.

호랑이 입과 같이 위험한

'따르다' **如**는 '~와 같이'의 뜻이고, **虎口**는 '호랑이 입'을 나타내는데 위험하다는 의미이다.
표지판에 자주 쓰이는 표현인 **馬路如虎口**처럼 응용할 수 있는데
'대로는 호랑이 입과 같이 위험하다'라는 뜻이다.

門 문 [mén]

(문 문) 문을 나타내는 이 한자는
서부 영화의 술집에 나오는 문과
흡사하게 생겼다.
간체자는 门이다.

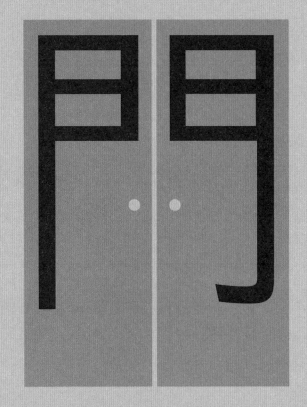

재빨리 움직이다

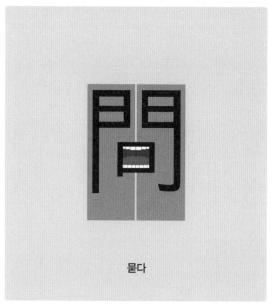

묻다

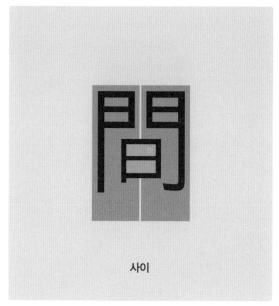

사이

한가하다

閃 재빨리 움직이다 [shǎn]
(번쩍일 섬) 한 사람이 붙잡히지 않으려고 술집 문으로 도망치는 장면을 생각하면 쉽게 외울 수 있다. 이 한자는 '번쩍이다'라는 뜻도 있다. 간체자는 闪이다.

問 묻다 [wèn]
(물을 문) 문과 입이 결합한 한자다. 질문은 지식을 향한 문을 여는 것이다. 간체자는 问이다.

間 사이 [jiān]
(사이 간) 문과 해를 결합해서 만들었다. '공간', '틈'을 뜻하기도 한다. 간체자는 间이다.

閑 한가하다 [xián]
(한가할 한) 전기가 없던 때, 어둠이 깔리고 달이 뜨면 일을 할 수 없었다. 이 한자는 '쓸데없다', '고요하다'의 뜻도 있다. 이 한자 대신 번체자 閒과 간체자 闲도 쓸 수도 있다.

大門 대문 [dàmén]
크다 + 문 = 큰 문 = 대문

門口 입구 [ménkǒu]
문 + 입 = 문의 입 = 입구

大門口 정문 [dàménkǒu]
크다 + 입구 = 큰 입구 = 정문

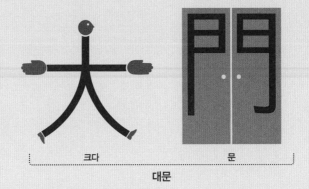

크다　　　　　　　문
대문

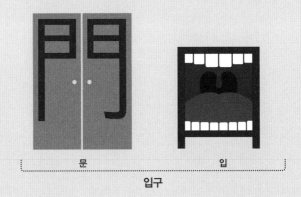

문　　　　　　　입
입구

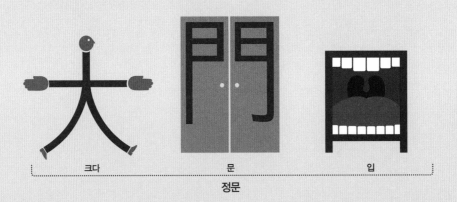

크다　　　　　　문　　　　　　입
정문

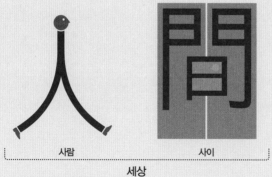

사람   사이

세상

人間/人间 세상 [rénjiān]

사람 + 사이 = 세상

閒人 한가한 사람

[xiánrén]

한가하다 + 사람 = 한가한 사람

閃人 재빨리 피하다

[shǎnrén]

재빨리 움직이다 + 사람

= 재빨리 피하다

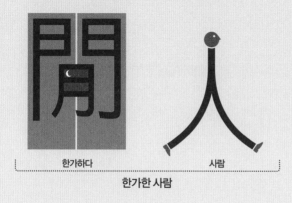

한가하다   사람

한가한 사람

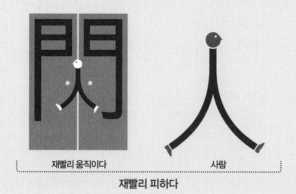

재빨리 움직이다   사람

재빨리 피하다

水 물 [shuǐ]

(물 수) '물'을 뜻하는 이 한자는 작은 물줄기 두 개가 큰 강으로 합류하는 모습처럼 보인다.

氵 물 [shuǐ]

'물'의 부수 형태다. 삼수변三點水으로 알려져 있는데 '물 세 방울'이라는 뜻으로 옆 쪽 淡을 참고하라.

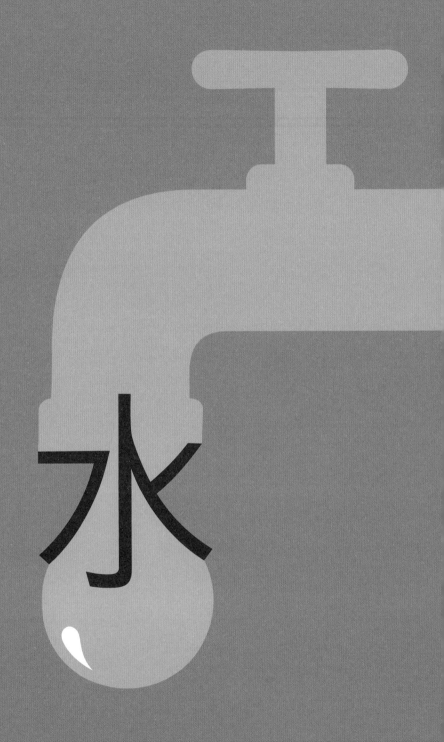

물이 광활하게 펼쳐진

거품

샘물

담백하다

淼 물이 광활하게 펼쳐진
[miǎo]

(물 아득할 묘) 물 세 개를 합했다.
많은 물을 의미할 때 쓴다.

沫 거품 [mò]

(거품 말) 물과 '끝'을 나타내는
末자가 결합했다. 바닷물이 해안
에 부딪치면 결국 거품이 된다고
생각하면 외우기 쉽다.

泉 샘물 [quán]

(샘 천) 흰색과 물이 결합했다. '샘'
이라는 뜻도 있다. 흰 눈이 녹아 샘
물이 되었다고 생각하면 쉽게 외
울 수 있다.

淡 담백하다 [dàn]

(묽을 담) 물과 '뜨겁다'를 결합했
다. '싱겁다', '적다', '희박하다'의
뜻도 있다.

江 강 [jiāng]

(강 강) 물＋일

汝 당신 [rǔ]

(너 여) 물＋여자

沐 씻다 [mù]

(머리 감을 목) 물＋나무

淋 젖다 [lín]

(물 뿌릴 림) 물＋수풀

水晶 수정 [shuǐjīng]

이 단어에 쓰인 水는
'물' 특유의 맑은 속성을 뜻한다.
물＋반짝이다＝수정

口水 침 [kǒushuǐ]

입＋물＝침

淡水 담수 [dànshuǐ]

이 단어는 대만 타이베이 북쪽에
있는 작은 도시의 이름이기도
하다. 담백하다＋물＝담수

淡月 불경기인 달 [dànyuè]

중국에서 장사가 잘 안 되는
불경기인 달淡月은 7월이다.
이때를 '유령의 달'이라고도 한다.
적다＋달＝적은 달＝불경기인 달

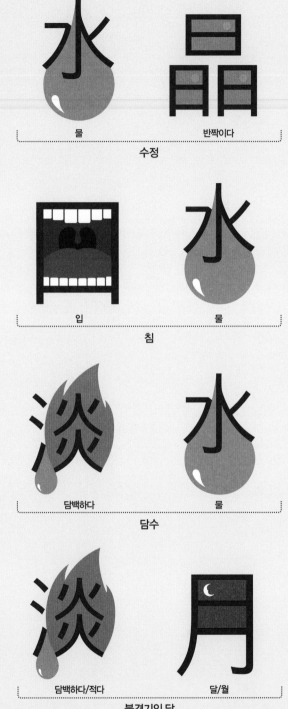

물   반짝이다

수정

입   물

침

담백하다   물

담수

담백하다/적다   달/월

불경기인 달

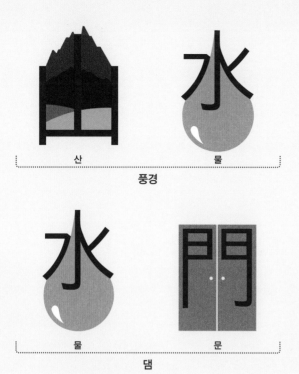

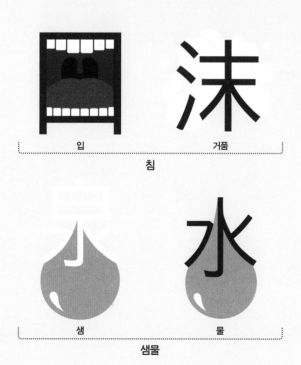

山水 풍경 [shānshuǐ]

대부분 풍경에는 멋진 산과 넓은 강이 있다. 일본의 후지산, 중국의 황산, 베트남의 하롱베이 등이 산수 풍경을 즐길 수 있는 대표적인 곳이다.
산+물=산과 물=풍경

水門 댐 [shuǐmén]

1970년대 미국에서 있었던 워터게이트 사건을 언급할 때도 사용했던 단어다. '워터게이트'를 그대로 번역하면 이 단어가 된다.
물+문=물의 문=댐

口沫 침 [kǒumò]

입+거품=입 거품=침

泉水 샘물 [quánshuǐ]

샘+물=샘물

牛 소 [niú]

(소 우) 원래는 황소를 뜻했으나
한자를 쓰는 방식이 예서로
바뀌며 '소'라는 뜻으로 변화했다.
복합형 한자에 이 글자가 들어
있으면 '고집'과 관련이 있다.

牛 소 [niú]

'소'를 의미하는 부수로 사용한다.

水牛 물소/버팔로
[shuǐniú]

물소는 초승달 모양의 큰 뿔이
달린 동물로 중국 남부 지방에서
경작을 위한 가축으로 길렀다.
물＋소＝물소＝버팔로

天牛 하늘소 [tiānniú]

하늘소는 검은 몸통에
작은 흰 반점이 있는 곤충인데
그 반점들은 밤하늘의 별을
연상시킨다.
하늘＋소＝하늘소

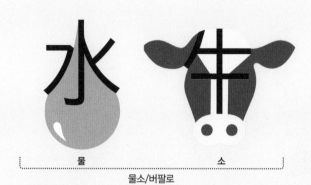

물 · · · · · · 소

물소/버팔로

하늘 · · · · · · 소

하늘소

馬 말 [mǎ]

(말 마) 예전에는 말의 옆모습 전체를 나타냈지만, 현재는 말의 몸통과 꼬리, 다리만 남아 있다. 간체자는 马이다.

의문 조사

욕하다

돌진하다

어머니

嗎 의문 조사 [ma]
(의문조사 마) 입과 말을 합했다. 문장 끝에 이 한자가 붙으면 '네' 혹은 '아니오'로 대답하는 질문이 된다. 간체자는 **吗**이다.

罵 욕하다 [mà]
(욕할 매) '소리치다'와 말을 결합했다. '비난하다', '꾸짖다', '질책하다'라는 동사로 사용한다. 간체자는 **骂**이다.

闖 돌진하다 [chuǎng]
(엿볼 틈) 말이 문을 박차고 돌진하는 모습을 연상시킨다. 간체자는 **闯**이다.

媽 어머니 [mā]
(어미 마) 여자와 말을 결합했다. **媽媽**는 '엄마'라는 뜻으로 쓰인다. 간체자는 **妈**이다.

玉 옥 [yù]

(옥 옥) 구슬 세 개를 꿴 모양을
본뜬 것으로 王과 구분하기 위해
점、을 추가했다. 玉과 王의
부수는 모두 玉인데, 부수로 쓰일
땐 점을 쓰지 않는 경우도 있다.
이럴 땐 王과 모양이 비슷하게
보인다. 옆 쪽에 있는 숲이
그 예다. 玉은 '깨끗하다'라는
의미로도 쓰인다.

왕

나라

주인

전체의

王 왕 [wáng]
(임금 왕) 옥은 왕이나 귀족이 착용하는 보석이었고 아름다움, 고귀함, 순수함을 상징했다.

国 나라 [guó]
(나라 국) 옥과 '에워싸다'가 결합했다. 중국은 옥의 나라여서 '옥으로 둘러싸인 땅'이라고 불리는 것도 당연하다. 번체자는 國 이다.

主 주인 [zhǔ]
(주인 주) 원래 '등불', '횃불'이라는 뜻이었으나 오늘날에는 '주인', '소유자'라는 의미로 쓰인다.

全 전체의 [quán]
(모두 전) '들어가다'라는 의미의 入자와 玉에서 점을 뺀 부수 형태인 王이 결합했다. 이때 玉은 집안에 있는 재산을 의미한다. '완전하다', '완비하다'라는 뜻도 있다.

女王 여왕 [nǚwáng]
여자 + 왕

国王 국왕 [guówáng]
나라 + 왕

王国 왕국 [wángguó]
왕 + 나라

美国 미국 [měiguó]
아름다운 + 나라

川 강 [chuān]

(내 천) 갑골문자에서는 육지 사이를 흐르는 강의 모습을 형상화했다. 오늘날에는 세 개의 선으로 이루어져 있는데 흐르는 강물을 상징한다. 川은 중국의 4대강으로 잘 알려진 쓰촨성 지역을 뜻하기도 한다.

州 주 [zhōu]

(고을 주) 川의 선 옆에 점을 하나씩 찍으면 '고을'이라는 뜻의 州가 된다.

舟 배 [zhōu]

(배 주) 나무 배 모양처럼 보이는
이 한자는 삿대로 움직이는 배가
강 위에 떠 있는 모습이다.

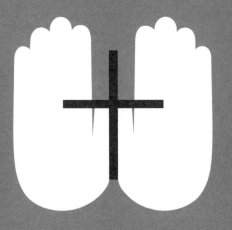

一 일 [yī]
맨 처음 배우는 획이다. '하나'를 의미한다.

二 이 [èr]
획 하나에 또 하나를 더 하면 '둘'이 된다.

三 삼 [sān]
하나 더하기 둘은 셋이다.

四 사 [sì]
숫자 4는 '죽을 사死[sǐ]'와 발음이 비슷하여 불운을 가져온다고 생각한다.

五 오 [wǔ]
숫자 5을 뜻한다.
이 한자는 성姓으로도 사용된다.

六 육 [liù]
숫자 6은 광동어로 '부'를 상징하는데 '행운'을 뜻하는 祿[lù]와 발음이 비슷하기 때문이다.

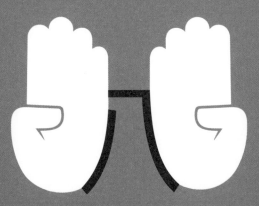

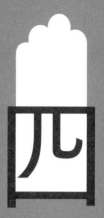

七 칠 [qī]

7은 행운의 숫자로 생각한다.

九 구 [jiǔ]

그림에 표현된 것처럼
다섯 손가락을 위로 펴고,
나머지 손의 네 손가락을 옆으로
편 모양을 나타낸다.

八 팔 [bā]

8은 행운을 가져다주는
숫자 중 하나라고 생각한다.
'큰 돈'을 뜻하는 發財 [fācái]의
앞 글자가 八의 발음과 비슷하기
때문이다.

十 십 [shí]

숫자 10은 완전한 것을 상징한다.

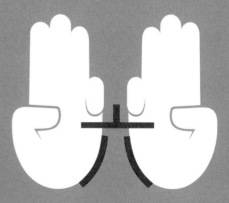

虫 벌레 [chóng]

(벌레 충) 독사가 똬리를 틀고
있는 모습을 본떴다.
윗부분은 마치 코브라의 머리처럼
보인다. 이 글자가 복합형 한자에
쓰이면 곤충, 파충류, 갑각류를
의미한다. 뱀蛇, 개구리蛙, 조개蛤
등이 그 예다. 번체자는 蟲이다.
(127쪽 참고)

長 길다/길이 [cháng]
(길 장) 머리가 긴 사람의 모습에서
유래했다. '길다', '길이'를 뜻한다.
간체자는 长이다.

賬 회계/빚 [zhàng]
(장부 장) 이 한자에는 '조개'를
뜻하는 부수가 있다. 뜻은 '조개'와
관련이 있고(130쪽 참고),
발음은 長과 유사하다(11쪽 참고).
조개는 '부'와 관련이 있는데
이 한자에도 돈의 의미가 있다.
간체자는 账이다.

心 심장/마음 [xīn]

(마음 심) 원래 심장의 모양에서
유래했지만 형태가 바뀌어 지금의
모습이 되었다.

忄 심장/마음 [xīn]

心이 부수로 쓰일 때의 형태다.
옆 쪽에 있는 怕를 참고하라.

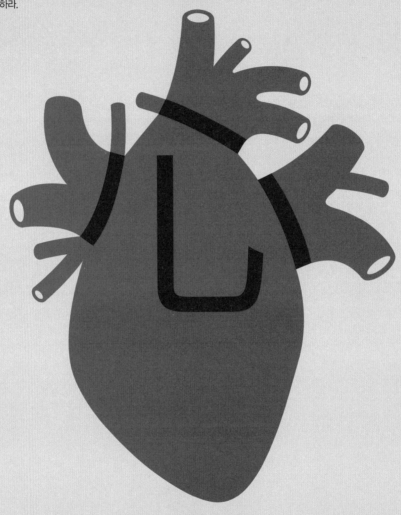

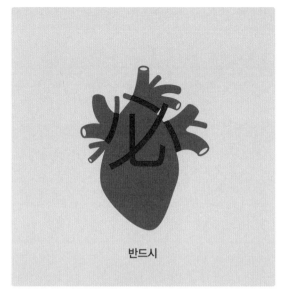

반드시

답답하다

용서하다

무서워하다

必 반드시 [bì]

(반드시 필) 心에 丿을 첨가했다. '나누다'의 八과 '말뚝'의 弋를 합한 것이라고도 하는데, 나무 말뚝으로 땅을 분명히 나눈다 해서 '반드시'가 되었다고한다.

悶 답답하다 [mēn]

(답답할 민) 문 안에 마음이 있다. 너무 답답해서 밖으로 나가고 싶은 마음을 표현한다고 생각하면 기억하기 쉽다. 간체자는 闷 이다.

恕 용서하다 [shù]

(용서할 서) '만일'(48쪽 '따르다' 참고)과 '마음'을 합한 것이다. 잘못을 행한 사람을 마음으로 용서할 수 있을지 자신에게 물어보라.

怕 무서워하다 [pà]

(두려워할 파) 심장과 흰색이 결합한 한자다. 너무 두렵거나 겁이 나면 얼굴이 창백해진다.

安心 안심하다 [ānxīn]

안정되다 + 마음

小心 조심하다 [xiǎoxīn]

작다 + 마음

全心 온 마음 [quánxīn]

전체의 + 마음

刀 칼 [dāo]

(칼 도) 갑골문자에서는 손잡이
두 개에 칼날 두 개가 붙은
모습이었다. 그러나 예서로
바뀌면서 손잡이가 사라졌다.
칼과 연관된 물건을 나타낼 때
사용한다.

刂 칼 [dāo]

칼刀을 부수로 쓸 때의 형태다.
옆 쪽에 있는 剞를 참고하라.

(배를) 젓다

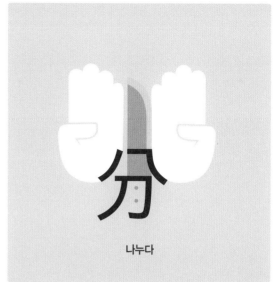

나누다

수다스러운

비치다

划 (배를) 젓다 [huá]

(그을 획) 무기와 칼이 결합한 한자다. 노를 '젓다' 외에도 '자르다', '긋다'라는 의미로도 쓰인다. 번체자는 **劃**이다.

分 나누다 [fēn]

(나눌 분) 숫자 8 밑에 칼이 붙어 물건을 두 개로 가르는 칼의 모습을 형상화했다.

叨 수다스러운 [dāo]

(탐낼 도) 입과 칼이 만났다. '재잘거리다'라는 의미로도 쓰인다.

照 비치다 [zhào]

(비출 조) 칼, 해, 입, 불이 결합했다. 빛이 '비치다', 거울 등에 '비추다'라는 의미로 쓰인다.

分心 한눈을 팔다 [fēnxīn]

나누다 + 마음

分明 분명히 [fēnmíng]

나누다 + 밝다

分子 분자 [fēnzǐ]

나누다 + 아들 (96쪽 '아들' 참고)

힘

더하다

세우다

운전하다

力 힘 [lì]

(힘 력) 원래 '쟁기'를 의미하는 글자였다. 쟁기를 끌기 위해서는 힘이 넘치는 동물이 필요하다. 이 의미가 확장되어 쟁기를 끄는 힘을 의미하게 되었다.

加 더하다 [jiā]

(더할 가) 힘과 입을 결합하여 만들었다. 또한 '증가하다'라는 의미도 있다. 미국 캘리포니아의 약자로도 사용한다.

架 세우다 [jià]

(시렁 가) '더하다'와 나무를 결합했다. 동사로는 '짓다', '지탱하다', 명사로는 '선반'이라는 뜻으로 사용한다.

駕 운전하다 [jià]

(멍에 가) '더하다'와 말을 결합했다. '타다'라는 뜻도 있다. 간체자는 驾이다.

加州 캘리포니아 [jiāzhōu]

캘리포니아 주

豕 돼지 [shǐ]

(돼지 시) 고대에 돼지를 의미하는
한자는 코가 튀어나오고, 배가
크고, 발굽이 있고, 꼬리가 달려
있는 모습이었다.

豬 돼지 [zhū]

(돼지 저) '돼지'를 가리킬 때
더 많이 사용하는 한자다.
글자 왼쪽에 '돼지'라는 기본
한자가 있다.

(집 면) 단독으로는 거의 쓰이지 않고, 다른 한자의 부수로 주로 사용된다.

주거, 건축과 연관이 있다.

재앙

안정되다

감옥

집

灾 재앙 [zāi]

(재앙 재) 지붕과 불이 만났다. 지붕이 타고 있으면 재앙 아닌가! 번체자는 災이며, 이 번체자는 '강'과 '불'이 합해진 것이다.

安 안정되다 [ān]

(편안할 안) 기본형 한자 女가 긍정적인 의미로 쓰였다. '편안하다', '평안히'라는 의미도 있다.

牢 감옥 [láo]

(우리 뢰) 과거에 소는 짐을 나르는 수단이었다. 이 한자의 원래 의미는 '외양간, 우리'였지만, 시간이 지나면서 '감옥'이라는 명사로 변화했다.

家 집 [jiā]

(집 가) 오래전에는 돼지가 집 안에 있으면 풍요로운 집이었다. '가족', '가정'이라는 뜻도 있다.

水灾 수해 [shuǐzāi]

물＋재앙

火灾 화재 [huǒzāi]

불＋재앙

天灾 자연 재해 [tiānzāi]

하늘＋재앙

大家 모두 [dàjiā]

큰＋가족

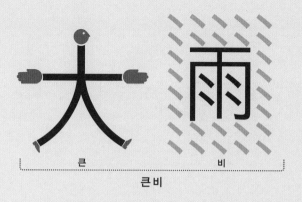

큰

비

큰비

비

물

빗물

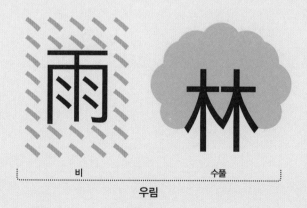

비

수풀

우림

雨 비 [yǔ]

하늘에서 빗방울이 떨어지는
모양을 형상화했다. 위의
가로 획 一은 하늘을 의미한다.

大雨 큰비 [dàyǔ]

크다＋비＝크게 내리는 비
＝큰비

雨水 빗물 [yǔshuǐ]

비＋물＝빗물

雨林 우림 [yǔlín]

비＋수풀＝우림

子 아들[zǐ]

(아들 자) 갑골문자에서 이 한자의 초기 형태는 머리 하나, 팔 두 개, 다리 하나가 있는 아기의 모습이었다. '아기' 혹은 '유아'라는 의미에서 지금은 '아들', '아이'로 확장되었다. '아들/아이'라는 의미뿐만 아니라 子는 한 음절 명사에 붙이는 접미사로, 혹은 작은 물건을 의미할 때 사용하기도 한다. 옆 쪽에 있는 日子를 참고해보라. 이런 경우 子는 [zi]로 발음한다.

좋다

글자

자두

쌍둥이

好 좋다 [hǎo]
(좋을 호) 여자와 아들이 결합했다. '상당히', '매우'라는 뜻도 있다.

字 글자 [zì]
(글자 자) 지붕과 아들이 만났다. 아들이 그 집안에 태어나면 사람 수가 늘게 되고 결국에는 문명과 문학이 지속될 수 있다. '문자' 혹은 '단어'를 뜻하기도 한다.

李 자두 [lǐ]
(오얏 리) 나무와 아들이 결합했다. 고대 중국에서 자두는 겨울에 꽃이 피었기 때문에 인내의 상징으로 인식되기도 했다. 성姓으로도 쓰인다.

孖 쌍둥이 [zī]
(쌍둥이 자) '아들'이라는 한자 두 개가 결합했다. 쌍둥이는 지역에 따라 행운이나 불행을 상징했다.

子女 자녀 [zǐnǚ]
아들/아이 + 여자

王子 왕자 [wángzǐ]
왕 + 아들

日子 일자 [rìzi]
해/날 + 아들/접미사

好心 선의 [hǎoxīn]
좋다 + 마음

目 눈 [mù]

(눈 목) 고대 갑골문자에서는
눈 모양이었으나 전서에서
직선 형태로 변화했다.

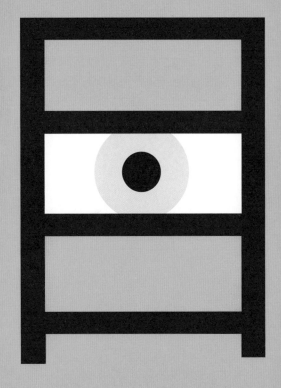

자신

(냄새가) 지독하다

서로

눈물

自 자신 [zì]
(스스로 자) 과거에 '코'를 의미했으나 지금은 '자신'이라는 뜻이다. 사람들이 자기 이야기를 할 때 얼굴, 특히 코를 가리키기 때문이다.

臭 (냄새가) 지독하다 [chòu]
(냄새 취) '자신'과 개가 만난 한자다. 개 코가 워낙 예민하기 때문에 '냄새를 맡다'의 뜻이었으나 시간이 지나며 냄새가 '지독하다', '구리다'라는 뜻으로 변화했다.

相 서로 [xiāng]
(서로 상) 나무와 눈이 결합한 것이다. '자세히 살펴보다' 혹은 '관찰하다'라는 의미가 담겨 있는데 지금은 뜻이 확장되어 '서로', '이미지'가 되었다.

泪 눈물 [lèi]
(눈물 루) 물과 눈이 결합한 간체자다. 번체자는 淚이다.

手 손 [shǒu]

(손 수) 갑골문자에서는
팔에 손가락 다섯 개가 붙은
다소 추상적인 형태였다.
손에 '잡다', '쥐다'라는 뜻도 있다.

扌 손 [shǒu]

手를 부수로 쓸 때의 형태다.
'들어 올린 손'이라는 뜻으로
옆 쪽의 扶를 참고하라.

돕다

분장하다

치다

베끼다

扶 돕다 [fú]
(도울 부) 한 남자가 손의 도움을 받는 모습을 표현했다. '떠받치다', '의지하다'의 의미도 있다.

扮 분장하다 [bàn]
(꾸밀 분) 손과 '나누다'가 결합했다. 왼쪽의 手는 의미를, 오른쪽의 分은 발음을 담당한다.

拍 치다 [pāi]
(칠 박) 손과 '희다'가 결합했다. 手는 이 한자의 의미를, 白은 발음을 담당한다. 손바닥으로 '치다', 파도가 '치다' 등의 의미로 쓰인다.

抄 베끼다 [chāo]
(가릴 초) 손과 '적다'라는 의미의 少(133쪽 참고)가 결합했다. '표절하다', '베끼다'라는 뜻으로 사용한다.

扶手 손잡이 [fúshou]
돕다 + 손

人手 일손 [rénshǒu]
사람 + 손

拍手 박수치다 [pāishǒu]
치다 + 손

小抄 커닝페이퍼 [xiǎochāo]
작은 + 베끼다 (132쪽 小 참고)

훔치다

걸다

묶다

찾다

扒 훔치다 [pá]

(뻴 배) 手와 숫자 八이 결합했다. 손이나 갈퀴로 '그러모으다', '붙잡다'라는 의미에서 '훔치다'로 확장되었다. 도둑이 당신 옆에 웅크리고 앉아 지갑을 훔치는 장면을 생각해보라.

扣 걸다 [kòu]

(두드릴 구) 손과 입이 결합해 만들었다. '채우다', '합류하다', '빼다', '매듭', '단추' 등 다양한 의미로 쓰인다.

捆 묶다 [kǔn]

(두드릴 곤) '포위하다'와 '가둬놓다'라는 의미의 困과 手가 결합한 것이다. 포로의 손이 묶여 있는 장면을 떠올리면 기억하기 쉽다.

找 찾다 [zhǎo]

(채울 조) 손과 '무기(124쪽 참고)'가 결합했다. 도망간 죄수를 찾아 나서기 위해 손에 무기를 드는 장면이 떠오른다.

飞 날다 [fēi]

(날 비) 이 한자를 보면 부리가 긴 벌새가 생각난다. '쏜살같이 움직이다'라는 뜻으로도 쓴다. 간체자이며 번체자는 飛이다.

戶 집 [hù]

(지게 호) 문이 한 쪽만 있는
모습을 나타낸다. 문이나 창문을
의미할 때도 있지만, 주로 '집'으로
많이 쓴다. 간체자는 **户** 이다.

大戶 대가족/대부호
[dàhù]
크다＋집

貧戶 가난한 집 [pínhù]
가난하다＋집
(131쪽 '가난하다' 참고)

賬戶 계좌 [zhànghù]
회계＋집

网 그물 [wǎng]
(그물 망) '그물'이란 한자의
간체자다. 번체자인 網은 예서로
글자체가 변하면서 생겨났다.
왼쪽의 糸가 '명주'라는 재료를
뜻하고, 오른쪽 '그물/속이다'의
罔이 발음과 의미를 담당한다.

罒 그물 [wǎng]
'그물'이라는 한자의 부수다.
잘못 쓰면 숫자 4 四와
헷갈릴 수 있다. 131쪽 '사다'를
뜻하는 買를 참고하라.

夕 해질녘 [xī]
(저녁 석) 해가 지는 모습이다.
'저녁', '석양'이라는 뜻도 있다.

많다

꿈

이름

해

多 많다 [duō]
(많을 다) '해질녘' 두 개가 결합해서 시간이 축적됨을 의미한다. 시간의 축적은 '많다'라는 의미다.

梦 꿈 [mèng]
(꿈 몽) 수풀과 '해질녘'이 만났다. 번체자는 夢이다.

名 이름 [míng]
(이름 명) '해질녘'과 입이 결합하였다. 저녁이 되어 부모들이 아이의 이름을 부르는 모습을 생각해 보라. '유명한'이라는 의미도 있다.

岁 해/세 [suì]
(해 세) '산'과 '해질녘'이 결합했다. 번체자는 **歲**인데, 나이를 셀 때 자주 쓴다. 가령 一歲는 '1세' 한 살을 뜻한다.

多少 다소 [duōshǎo]
많은 + 적다 (133쪽 少 참고)

言 말하다 [yán]

(말씀 언) 갑골문자와 금문에서 이
한자는 '혀'를 의미하는 설좀자와
비슷하게 생겼다. 짧은 가로획이
위에 덧붙여 있는가로 그 차이를
구분했는데 혀를 사용하고
있다는 뜻이다. '연설', '말하다'의
뜻으로도 쓰인다.

讠 말하다 [yán]

일부 간체자에서 '말하다'의
부수로 사용한다.

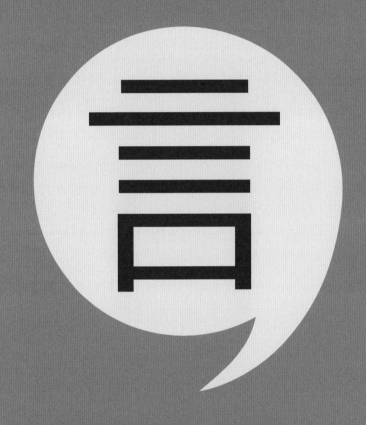

편지/믿다

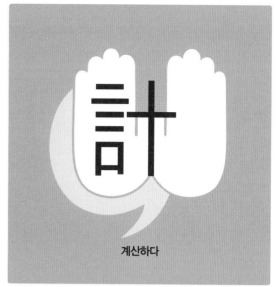

계산하다

자세하다

말/언어

信 편지/믿다 [xìn]

(믿을 신) 사람과 '말하다'가 결합했다. 원래 '사람들의 말'이라는 의미였으나 뜻이 확장되어 '편지' 혹은 '믿다'라는 뜻이 되었다. 당신은 사람들이 하는 말을 모두 믿는가?

計 계산하다 [jì]

(셀 계) '말하다'와 숫자 10이 결합하여 '계산하다' 혹은 '헤아리다'의 뜻이 되었다. 10까지 셀 수 있으면 기본적인 계산도 할 수 있다. 간체자는 **计**이다.

詳 자세하다 [xiáng]

(자세할 상) '말하다'와 '양'이 결합했다. 동사로는 '자세히 설명하다', 형용사로는 '자세하다', '세세하다'라는 뜻이다. 간체자는 **详**이다.

語 말/언어 [yǔ]

(말씀 어) '말하다'의 름과 '나'라는 뜻의 쯈를 합했다. 쯈는 숫자 5와 '입'이 결합했다. 간체자는 **语**다.

自信 자신하다 [zìxìn]

스스로 + 믿다

相信 믿다 [xiāngxìn]

서로 + 믿다

日本語 일본어 [rìběnyǔ]

일본 + 언어

國語 국어 [guóyǔ]

나라 + 언어

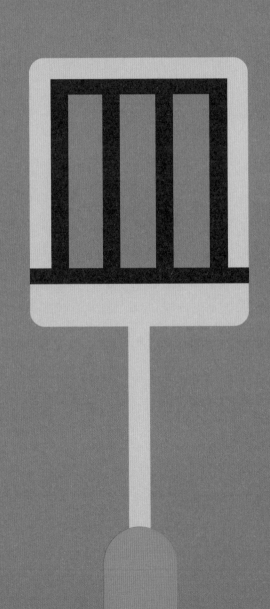

皿 그릇 [mǐn]

(그릇 명) 접시, 컵, 식기를 비롯해 '그릇'이나 '얕은 용기'를 총칭한다. 원래는 큰 잔이나 받침대가 있는 그릇을 의미했으나 글자체가 변하면서 큰 잔의 뜻이 없어졌다.

己 자신 [jǐ]
(몸 기) 빗줄처럼 생긴
이 한자는 '자신'을 의미한다.

自己 자기 자신 [zìjǐ]
스스로 + 자신

辶 걷다 [chuò]

(쉬엄쉬엄 갈 착) 단독으로 쓰지
않고 부수로 쓰이는 형태다.
한자에 이 부수가 들어가면
걷는 것과 연관되는 뜻이 담긴다.

도착하다

거닐다

급박하다

이것

达 도착하다 [dá]
(이를 달) '걷다'와 '크다'가 결합해 큰 걸음으로 목적지에 도착한다는 의미를 만들었다. '도달하다', '통하다'라는 뜻으로도 쓰이며 번체자는 **達**이다.

逛 거닐다 [guàng]
(거닐 광) '걷다'와 '미치다'의 狂이 결합했다. 광狂은 개와 왕이 결합한 것이다. 한가롭게 '거닐다', '배회하다'라는 의미로 쓰인다.

迫 급박하다 [pò]
(다그칠 박) 간체자로 '걷다'와 '흰색'을 결합했다. '다가오다', '강요하다'의 뜻도 있으며, 형용사로 사용하면 '다급하다'의 의미도 있다. 번체자는 **迫**이다.

這 이것 [zhè]
(이 저) '걷다'와 '말하다'가 합해진 번체자다. 간체자인 **这**는 '걷다'와 文을 합했다.

达人 달인 [dárén]
도착하다＋사람

狂犬 광견 [kuángquǎn]
미치다＋개

土 토양 [tǔ]

(흙 토) 맨 아래 획은 수평선을, 그 위에 있는 십 자는 식물이나 사람이 만든 구조물을 의미한다. '군인'라는 뜻의 士와(116쪽 참고) 土가 다른 점은 맨 아래 획이 위의 십 자보다 더 길다는 것이다. 또한 土는 5대 기본 요소(오행) 중 하나인 땅을 의미하기도 한다. 형용사일 때는 '촌스럽다' 혹은 '토속적이다'라는 뜻이 된다.

存
존재하다/~에

肚
배/복부

坐
앉다

佳
아름답다

在 존재하다/~에 [zài]
(있을 재) 재능을 뜻하는 才[cái]와 토양이 결합했다. 才는 발음을 토양은 의미를 부여하는 역할을 한다. 원래는 '존재하다'라는 뜻이었는데 '~에, ~에서'로 의미가 확장되었다

肚 배/복부 [dù]
(배 두) 고기와 토양이 결합했다. 우리 몸의 배는 토양의 결실이 저장되는 곳이다.

坐 앉다 [zuò]
(앉을 좌) 사람 두 명이 땅에 앉아 있는 모습이다.

佳 아름답다 [jiā]
(아름다울 가) 사람과 두 개의 토양이 결합했다. '좋다', '훌륭하다'라는 뜻도 있다

自在 자유롭다 [zìzài]
자신 + ~에

大肚子 임신(부) [dàdùzi]
큰 + 배 + 아이

坐在 ~에 앉다 [zuòzài]
앉다 + ~에

佳人 미인 [jiārén]
멋진 + 사람

士 군인 [shì]

(선비 사) 士에는 '군인', '선비' 등
많은 의미가 있다.
숫자 '일一'과 숫자 '십十'이 만나
하나부터 열까지 모든 것을
잘하는 사람을 뜻한다.

志 의지 [zhì]

(뜻 지) 군인과 마음이 결합했다.
군인이나 선비들은 마음을 정하고
결심하면 전쟁에서 승리하거나,
학생을 가르치며 결국 성공하게
된다.

士 선비 [shì]

(선비 사) 고대 중국에서는 무관이 학자가 되는 경우가 더러 있었다. 유교에서는 지도자가 현명하고 결단력이 있어야 한다고 말한다. 이런 이유로 이 한자는 '선비'와 '군인' 두 가지 의미로 사용한다.

吉 행운의 [jí]

(길할 길) 학자와 입이 결합했다. 중국에서 선비는 매우 존경을 받으며 사회 계층에서도 가장 높은 위치에 있었다. 그래서 학자들의 말은 상서롭고 행운을 가져온다고 생각했다.

田 밭 [tián]

(밭 전) 농지에 물을 대기 위해 마치 열十자 모양으로 도랑을 파놓은 것 같은 모습을 본 떴다. '밭'이나 '농장'이라는 뜻으로, 농사나 사냥과 관련된 한자를 만드는 데 사용하기도 한다.

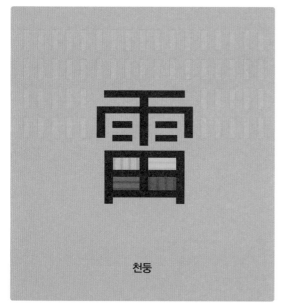

천둥

~에서부터/~로 인하여

갑옷

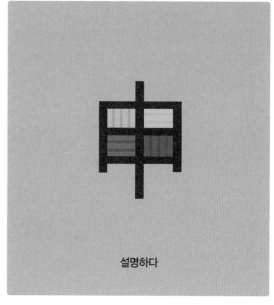

설명하다

雷 천둥 [léi]

(우레 뢰) 비와 밭이 합해졌다. 갑골문자에서는 동그라미 하나와 점 세 개로 표현했는데, 천둥과 번개를 나타낸 것이었다.

由 ~에서부터/~로인하여 [yóu]

(말미암을 유) 가운데 획이 위로 솟아 있는 밭의 모습을 하고 있다. 밭으로 들어가기 위해 길을 냈다고 생각해보라. '원인', '이유'라는 의미도 있다.

甲 갑옷 [jiǎ]

(갑옷 갑) 원래는 씨앗에서 새싹이 막 나오는 모습을 나타낸 것으로 '껍데기'를 뜻했는데, '갑옷'으로도 쓰이게 되었다. 그밖에 '제일이다'의 의미도 있다.

申 설명하다 [shēn]

(납 신) 갑골문자에서는 비가 내리는 가운데 번개가 치는 장면을 표현한 것이었다. 그 뜻 역시 '번개'로 썼는데, 지금은 '설명하다', '거듭하다'라는 의미로 쓰인다.

기름

부유하다

마을/리

남자

油 기름 [yóu]
(기름 유) 물과 밭이 만났다. 밭 아래 광물에서 만들어진 액체, 즉 기름을 의미한다.

富 부유하다 [fù]
(부유할 부) 지붕, 숫자 1, 입, 밭이 결합한 것으로, 재산이 많고 편안한 집에서 사는 부유한 가정을 의미한다.

里 마을/리 [lǐ]
(마을 리) 밭과 토양이 결합해 '마을'을 의미한다. 시간이 지나며 그 마을이 가지고 있는 땅이 얼마나 길게 뻗어 있는가를 나타내는 '리'의 의미로 확장되었다. '속', '안쪽'이라는 뜻도 있다.

男 남자 [nán]
(사내 남) 밭과 힘이 결합했다. 오래전 남자들은 밭에서 일을 했다. 이 한자는 노동력을 가진 남성을 의미한다.

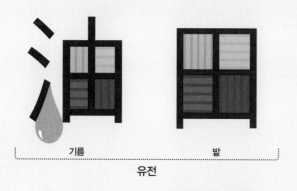

油田 유전 [yóutián]
기름 + 밭 = 유전

油門 가속 페달 [yóumén]
기름 + 문 = 기름 문 = 가속 페달

加油 급유하다 [jiāyóu]
이 단어를 응원할 때 쓰면 '화이팅'
의 의미가 된다. 더하다 + 기름
= 급유하다 = 힘을 내다

富家女
부유한 가정의 여자 [fùjiānǚ]
부유하다 + 집 + 여자
= 부유한 가정의 여자

기름   밭

유전

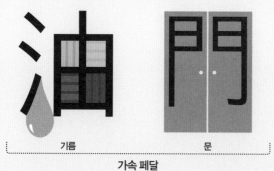

기름   문

가속 페달

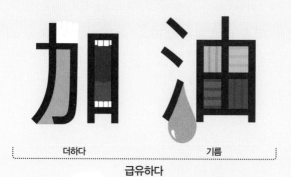

더하다   기름

급유하다

부유하다   집   여자

부유한 가정의 여자

弓 활 [gōng]

(활 궁) 원래 활처럼 생긴
한자였으나 시간이 지나며
지금처럼 줄이 없는
활의 모습을 하게 되었다.

弱 약하다 [ruò]

(약할 약) 활 두 개와
얼음 두 개(146쪽 참고)로
이뤄졌다. '약하다',
'어리다'라는 뜻으로 쓰인다.

酉 술병 [yǒu]
(닭 유) 본래는 술 단지를
본 뜬 것으로 술을 의미했으나
지금은 단독으로 쓰이기보다는
술이나 음식의 발효와 관련된
한자에 쓰인다.

酒 술 [jiǔ]
(술 주) 물과 술병이 만났다.
레스토랑에서 화이트 와인을
마시고 싶으면 白酒를 주문하라.

戈 무기 [gē]

(창 과) 날이 옆으로 길게 있고
그 밑에 손잡이가 달린 형태의
무기 모양을 하고 있다.

我 나 [wǒ]

(나 아) 손과 무기가 합해진 한자로
'나'를 뜻한다.
무기가 들어간 한자 중에서
가장 많이 사용한다.

鹿 **사슴** [lù]

(사슴 록) 갑골문자에서는 뿔 아래
다리 네 개가 달린 사슴의 모습을
나타냈다.

犇 달리다 [bēn]

(달릴 분) 소 세 마리를 합하면 '달리다' 혹은 '달아나다'의 뜻이 된다. 소떼가 포식동물을 피해 달아나는 장면을 생각해보라. 이 한자의 간체자는 **奔**이다.

猋 회오리바람 [biāo]

(달릴 표) 개 세 마리를 합하면 '회오리바람'이 된다. 개 여러 마리가 당신 주변을 계속 뛰어다닌다고 생각해보라.

麤 거칠다 [cū]

(거칠 조) 사슴 세 마리를 합하면 '거칠다', '굵다', '크다'의 뜻이 된다.

羴 노린내 나다 [shān]
(누린내 전) 양이나 염소 세 마리
가 만나면 양이나 염소의 악취를
뜻한다.

驫 떼 지어 달리는 말 [biāo]
(떼지어 달릴 표) 말이 세 마리가
되면 떼 지어 달리는 말이라는
뜻이 된다. 간체자는 **骉**이다.

蟲 벌레들 [chóng]
(벌레 충) 벌레, 곤충이라는 뜻의
번체자다. '벌레'를 의미하는 기본
한자 세 개로 이루어져 있는데
과거에는 간체자인 **虫**보다
많이 사용했다. '곤충들'이라는
뜻도 있다.

艹 풀 [cǎo]

(풀 초) '걷다'의 ⻌와 같이
단독으로 쓰지 않고 부수로만
쓴다. 이 형태가 나오면 식물과
관련이 있다고 생각하면 된다.
옆 쪽에 있는 屮도 '풀'이라는
뜻으로 사용한다.

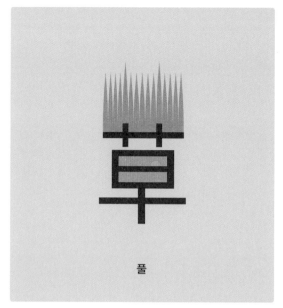

풀

새싹

차

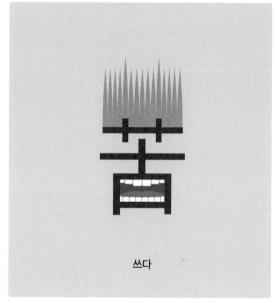

쓰다

草 풀 [cǎo]

(풀 초) 풀과 '이르다'라는 의미의 무가 만났다. '풀'이나 '약초'를 의미한다.

苗 새싹 [miáo]

(모 묘) 풀과 밭이 결합했다. 밭에서 솟아나는 새싹을 뜻한다.

茶 차 [chá]

(차 차) 사람과 나무가 결합하고 풀이 합해져 만든 한자다. '차나무'라고 할 수도 있다. 원래 형태인 荼는 '쓴 약초'라는 뜻이었다.

苦 쓰다 [kǔ]

(쓸 고) 풀과 '오래되다'의 古가 결합했다. 오래된 식물은 맛이 좋지 않다는 것을 떠올려봐라. '힘들다', '고통스럽다'라는 의미도 있다.

貝 조개 [bèi]

(조개 패) 갑골문자와 전서에서는 조개가 입을 벌리고 있는 모습을 나타냈다. 고대 중국에서 조개는 장식품뿐만 아니라 화폐로도 사용했다. 이런 의미에서 '돈', '화폐'의 뜻으로도 쓰인다. 간체자는 贝 이다.

사다

팔다

가난하다

축하하다

買 사다 [mǎi]

(살 매) 그물과 조개가 결합했다. 마치 그물을 던져 조개를 잡는 장면이 연상된다. 과거에는 조개로 물건을 살 수 있었다. 간체자는 **买**이다.

賣 팔다 [mài]

(팔 매) 선비, 그물, 조개가 만났다. 원래는 '나가다'와 '사다'가 결합한 한자였는데, 물건을 팔아서 없앤다는 의미다. 간체자는 **卖**이다.

貧 가난하다 [pín]

(가난할 빈) '나누다'와 조개가 결합했다. 조개를 화폐로 쓸 당시 조개를 쪼개서 썼다면, 가난한 생활을 한다는 의미였을 것이다. 간체자는 **贫**이다.

賀 축하하다 [hè]

(하례할 하) '더하다'와 조개가 결합했다. 중국에서는 무언가를 축하할 때 돈을 주는 풍습이 있다. 간체자는 **贺**이다.

買賣 장사/매매 [mǎimai]
사다 + 팔다

買主 고객 [mǎizhǔ]
사다 + 주인

買回 되사오다 [mǎihuí]
사다 + 돌아가다

買家 소비자 [mǎijiā]
사다 + 집

小 작다 [xiǎo]

(작을 소) '크다'의 大가 양팔을
쭉 뻗은 남자를 나타낸 반면
'작다'의 小는 남자가 양손을 옆에
붙인 채 무릎을 꿇고 앉아 있는
모습을 묘사했다.

적다

날카롭다

먼지

손주

少 적다 [shǎo]
(적을 소) '적다', '모자라다', '조금'
이라는 뜻이 있다. 의미가 확장되
어 '젊다'로도 사용한다. 이때는
[shào]라고 읽는다.

尖 날카롭다 [jiān]
(뾰족할 첨) '작다'과 '크다'가 결합
했다. '날카롭다', '뾰족하다', '예리
하다'의 뜻을 가지고 있다. 넓고 큰
밑변이 있는 삼각형이 점점 좁아
져 날카로운 꼭짓점을 이루는 모
습을 상상하면 외우기 쉽다.

尘 먼지 [chén]
(티끌 진) '작다'와 토양을 결합한
한자다. 번체자는 塵이다. 이 번
체자는 사슴과 토양이 만난 형태
인데 사슴이 무리지어 달릴 때 먼
지가 날리는 장면을 생각해보라.

孙 손주 [sūn]
(손자 손) 어린 아이를 의미한다.
번체자는 孫인데, '아이'와 '잇다'
의 系를 결합한 것으로 자식이 계
속 이어진다는 의미다.

小人 비열한 사람 [xiǎorén]
작다 + 사람

大小 크기 [dàxiǎo]
크다 + 작다

孙女 손녀 [sūnnǚ]
손주 + 여자

孙子 손자 [sūnzi]
손주 + 남자

고양이

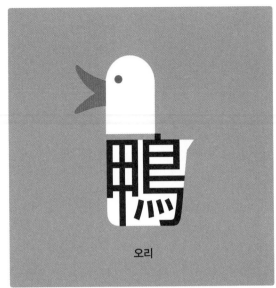

오리

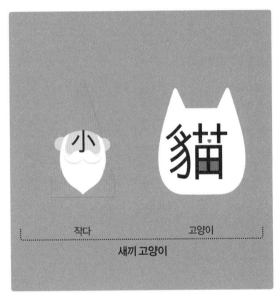

작다   고양이

새끼 고양이

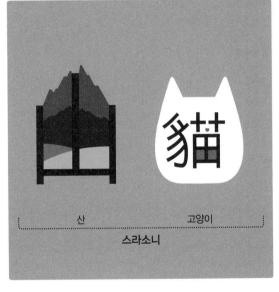

산   고양이

스라소니

貓 고양이 [māo]
(고양이 묘) '너구리'의 豸와 새싹이 결합했다. 간체자로는 猫인데 '개'와 '새싹'이 만났다.

鴨 오리 [yā]
(오리 압) 갑옷과 새가 결합했다. 수컷 청둥오리는 마치 녹색의 투구를 쓰고 갑옷을 입은 듯하다. 간체자는 鸭이다.

小貓 새끼 고양이
[xiǎomāo]
아주 간단하게 구성한 단어다. 작은 고양이는 새끼 고양이다.
작다 + 고양이 = 새끼 고양이

山貓 스라소니 [shānmāo]
스라소니는 살쾡이 과科의 동물로 귀 끝에 있는 털이 뾰족하게 자라는 특징이 있다. 스라소니는 주로 고지대의 숲에서 서식한다.
산 + 고양이 = 스라소니

貓王 엘비스 프레슬리
[māowáng]

고양이 + 왕

鬼 유령 [guǐ]
(귀신 귀) 원래 형태는 사악한
얼굴을 한 사람의 모습이었다.
미신과 관련 있는 한자에도
사용한다.

小鬼 꼬마 유령 [xiǎoguǐ]
작다 + 유령

勹 **싸다** [bāo]

(쌀 포) 종이나 천 등으로 '싸다'
라는 의미로 단독으로 쓰이지
않고 부수로 사용한다.
'싸다'의 뜻으로는 주로 包를 쓴다.

문장

~의

잘 분배하다

균등하다

句 문장 [jù]
(글귀 구) 갑골문자에서는 '밧줄'을 나타내는 ㅂ와 '입'이 결합한 형태였다. 아래에 있는 句子가 구체적인 문장을 언급할 때 주로 쓰이는 반면, 句는 문장 등을 셀 때 사용한다. (예시: 열 개의 문장이 있다.)

的 ~의 [de]
(과녁 적) 흰색과 '싸다'가 만났다. '~의'라는 뜻이 있으며 가장 많이 사용하는 한자 중 하나다.

匀 잘 분배하다 [yún]
(고를 균) '균등하다'라는 뜻도 있다. '싸다'와 숫자 2가 결합하여 두 가지를 잘 나눈다는 의미다.

均 균등하다 [jūn]
(고를 균) 토양과 '잘 분배하다'가 결합한 형태로 땅을 공평하게 나눈다는 의미다. '가지런히 하다'로도 쓰인다.

句子 문장 [jùzi]
문장＋아들

好的 좋아 [hǎode]
좋다＋~의

均匀 균등하다 [jūnyún]
균등하다＋잘 분배하다

几 **몇** [jǐ]

(몇 기) '몇 개', '몇 명' 등을
의미한다. 번체자는 幾인데
幺와 戍이 만난 것으로
원래 뜻은 '좋다', '약간'이었다.
이 한자는 몇 가지 병음과
의미가 있다.
명사 = 작은 탁자 [jǐ]
부사 = 거의 [jī]
동사 = 도달하다/획득하다 [jī]
대명사 = 여러 개 [jǐ]

机 기계 [jī]

(기계 기) 나무와 '몇'이 결합했다.
간체자는 機이다.

평범하다

송이

수컷 봉황

암컷 봉황

凡 평범하다 [fán]

(무릇 범) 갑골문자와 금문에서 이 한자는 건축을 할 때 쓰는 기구를 나타냈다. 원래는 '물건을 만들기 위한 틀'이라는 뜻이었으나 '평범한'으로 변하였다.

朵 송이 [duǒ]

(송이 타) '몇'과 나무가 만났다. 꽃을 세는 단위인 '송이'를 뜻한다. 예를 들어 "几朵花?"[jǐ duǒ huā]는 "꽃이 몇 송이냐"고 묻는 문장이다.

鳳 수컷 봉황 [fèng]

(봉새 봉) '몇'과 새가 결합했다. 중국 신화에서 봉황은 새들의 왕이자 행운을 상징하는 존재다. 간체자는 凤 이다.

凰 암컷 봉황 [huáng]

(봉황 황) 이 한자는 몇, 흰색, 왕이 결합했는데 중국 신화에 나오는 암컷 봉황을 뜻한다.

几天 며칠 [jǐtiān]

몇 + 하늘/날

十几 열 개 정도 [shíjǐ]

열 + 몇

几天? 며칠? [jǐtiān]

몇 + 하늘/날

好几 여러 [hǎojǐ]

좋다 + 몇

厶 사적인 [sī]

(자기 사) 수천 년 동안 변화하며 다소 추상적인 한자가 되었는데, '개인의'를 뜻하는 私와 같다. 아래 그림이 이 한자의 뜻을 잘 표현하고 있다. 또 다른 병음은 [mǒu]이다.

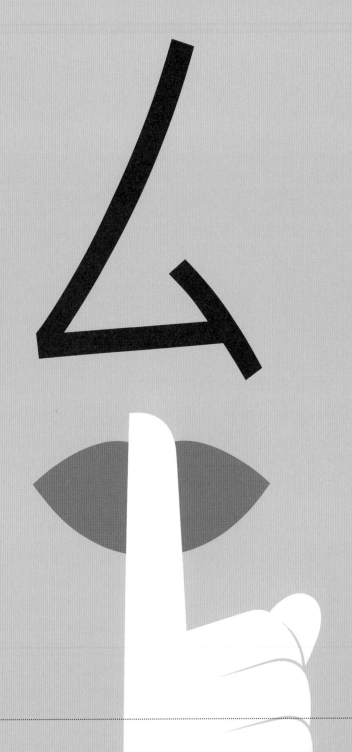

공공의

가다

소나무

무대

公 공공의 [gōng]

(공평할 공) 숫자 8과 '사적인'이 합해졌다. 公公이라고 쓰면 '할아버지'라는 뜻이 되기도 하고, 동물을 가리킬 때는 '수컷'을 의미할 수도 있다.

去 가다 [qù]

(갈 거) 이 한자는 '사적인'과 '토양'이 합해졌다. 어떤 곳을 떠나서 다른 곳으로 간다는 의미다.

松 소나무 [sōng]

(소나무 송) 나무와 '공공의'가 합해졌다. '쉬다' 혹은 '느슨하다'의 뜻도 있다.

台 무대 [tái]

(받침 대) '사적인'과 입이 결합되었다. 연설가는 보통 혼자 무대에 나와 연설을 하지 않는가. 번체자로 臺가 있다.

公安 경찰 (중국) [gōng'ān]

공공의＋안정되다

警察 경찰 (대만) [jǐngchá]

경찰＋관찰하다

公主 공주 [gōngzhǔ]

공공의＋주인

示 알리다 [shì]

(보일 시) 원래 '제물을 올려놓는 제단'을 의미했다. 고대 시대에 이러한 의식은 신들에게 얼마나 헌신하는 마음이 있는지를 보여주기 위해 시행되었다. 이런 의미에서 示는 '알리다', '보이다'의 의미로도 쓰인다.

礻 알리다 [shì]

示의 부수 형태다. 옆 쪽의 祥을 참고하라.

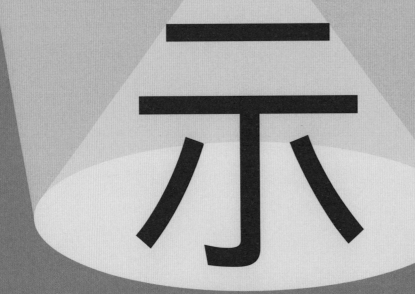

상서롭다

단체

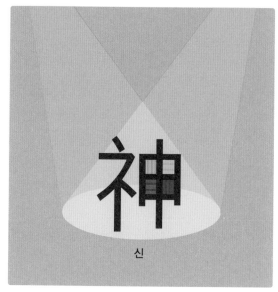

신

복

祥 상서롭다 [xiáng]

(상서로울 상) '알리다'와 양이 결합한 것으로 '징조', '행운', '행복'의 뜻도 있다. 과거에는 행운을 비는 의미로 양을 바치기도 했다.

社 단체 [shè]

(토지신 사) '알리다'와 토양이 만나 경배의 장소를 의미했다가, 뜻이 변화하여 '단체' 혹은 '조직'이 되었다.

神 신 [shén]

(귀신 신) '알리다'와 '설명하다'를 합했다. 신은 전지전능하며 진실을 알려준다.

福 복 [fú]

(복 복) '알리다', 숫자 일, 입, 밭이 합해졌다. '행복', '축복'을 의미하기도 한다. 중국의 음력 설날, 빨간 종이에 이 글자가 적혀 있는 걸 자주 볼 수 있다.

神社 신전 [shénshè]

신 + 단체

安祥 침착한 [ānxiáng]

안정되다 + 상서롭다

干 방패 [gān]

(방패 간) 숫자 일一과 십十이
결합한 것으로 번체자는 幹이다.
갑골문자에는 공격과 방어가
모두 가능한 삼지창 같은 무기의
모습에서 유래했다. '건드리다',
'관계되다', '건조하다'의
의미도 있다.

땀

평평하다

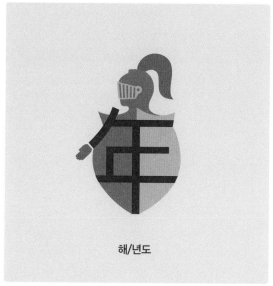

해/년도

행운

汗 땀 [hàn]

(땀 한) 물과 '방패/건조하다'를 결합했다. 몸 안에 있는 수분이 땀으로 배출되어 갈증을 느끼게 되는 상황을 떠올려보라.

平 평평하다 [píng]

(평평할 평) 방패와 숫자 8이 결합했다. '안정되다', '동일하다', '같다'라는 뜻도 있다.

年 해/년도 [nián]

(해 년) 음력 달력으로 지구가 태양 주위를 도는 데에 걸리는 시간을 뜻한다. 一年은 '1년'을 의미한다. '새해' 혹은 '매년'의 뜻으로도 사용한다.

幸 행운 [xìng]

(다행할 행) 방패, 토양, '~이다'가 결합했다. 아이러니하게도 원래는 '고문'을 뜻했으나, 요즘은 '행운'이라는 뜻으로 사용한다.

平安 평안하다 [píng'ān]

평평하다/안정되다 + 안정되다

幸福 행복 [xìngfú]

행운 + 복

冫 **얼음** [bīng]

(얼음 빙) 단독으로 쓰이지
않고 부수로 사용된다.
보통 이수변兩點水이라고
불리며 뜻은 '물 두 방울'이다.

얼음

얼다

겨울

도섭하다

冰 얼음 [bīng]
(얼음 빙) 얼음과 물로 '꽁꽁 언 물'이라는 의미의 한자를 만들었다. 冰水는 '얼음물'을 뜻한다.

凍 얼다 [dòng]
(얼 동) 얼음과 동쪽이 결합하였다. 얼음은 의미를, 東은 소리를 담당한다. 간체자는 冻이다.

冬 겨울 [dōng]
(겨울 동) '천천히'의 夂(이 한자는 '해질녘'과 비슷하게 보이지만 획이 더 길게 나와 있다)와 얼음이 만났다. 그대로 해석하면 '천천히 생긴 얼음'이라는 뜻인데 얼음이 겨울 동안에 천천히 만들어지는 모습을 의미한다.

馮 도섭하다 [píng]
(성씨 풍) 얼음과 말이 결합되었다. '도섭하다'는 걸어서 물을 건넌다는 의미. 성姓으로 쓰이기도 한다. 간체자는 冯이다.

欠 빚지다 [qiàn]

(하품 흠) 갑골문자에서
초기 형태는 사람이 입을 벌린 채
무릎을 꿇고 있는 모습이었다.
하품하는 사람의 모습을
형상화한 것으로 생각되는데
그 뜻은 '하품하다'였다.
예서로 바뀌면서 크게 벌린
입 모양이 한자에서 사라졌지만
欠이 붙은 한자는 여전히 입을
벌리고 숨을 내쉬는 것과 연관이
있다. 하품하는 것은 피곤하고
에너지가 부족하다는 신호다.
이런 의미에서 欠은 '부족하다'는
뜻도 있으며 현대 중국어에서
자주 쓰이고 있다.

입으로 힘껏 불다

요리하다

순서

유럽

吹 입으로 힘껏 불다 [chuī]
(불 취) 입과 '빚지다'가 결합했다. 여기서는 '빚지다' 대신에 '하품하다'의 의미가 사용되었다.

炊 요리하다 [chuī]
(불땔 취) 불과 欠이 결합했다. 여기서 欠은 '입으로 힘껏 불다'의 의미로 쓰였다. 요리를 하려고 작은 불씨를 힘껏 불어 살리는 모습을 생각해보라.

次 순서 [cì]
(버금 차) 얼음과 欠이 만났다. 일이 발생하는 횟수를 말할 때 사용한다. 예를 들어, 二次는 '두 번'을 의미한다.

歐 유럽 [ōu]
(토할 구) '지역'의 區와 欠이 결합했다. 이 한자의 발음은 유럽을 영어로 발음하는 것과 유사하다. 간체자는 **欧**이다.

匕 비수 [bǐ]
(비수 비) 칼의 손잡이 모양을
하고 있다.

它 그것 [tā]
(그것 타) 지붕과 비수가 만났다.

비교하다

변화하다

손가락

꽃

比 비교하다 [bǐ]

(견줄 비) 비수 두 개로 구성되어 두 사람이 나란히 함께 걸어가는 모습을 연상시킨다.

化 변화하다 [huà]

(화할 화) 사람과 비수가 만났다. 화학과 관련된 단어에 자주 쓰이는데, 특히 성분이나 물질을 언급할 때 사용한다. '녹다', '변환하다'의 뜻도 있다.

指 손가락 [zhǐ]

(손가락 지) 손과 '의도'를 뜻하는 旨가 결합했다. 旨는 비수와 해를 결합해 만들었다. 동사로는 '가리키다'라는 뜻이 있다.

花 꽃 [huā]

(꽃 화) 풀과 '변화하다'가 결합했다. 꽃은 풀이 변형되어 만들어진 것일까.

매우 아름다운 공주
好美的公主 (97, 41, 137, 141쪽)

매우 긴 문장
好長的句子 (97, 85, 137쪽)

땀 냄새가 많이 나다.
好臭的汗 (97, 99, 137, 145쪽)

신의 계시
神的指示 (143, 137, 151, 142쪽)

행복한 산동 여자
幸福的山東女人 (145, 143, 137, 54쪽)

모두 조심하세요.
大家小心 (93, 87쪽)

예쁜 소녀
美少女 (41, 133, 46쪽)

생선이 매우 신선하다.
魚好鮮 (25, 97, 41쪽)

차가운 미인
冰山美人 (147, 42, 41, 16쪽)

새끼 양이 집으로 돌아가다.
小羊回家 (132, 40, 23, 93쪽)

모두가 평안하다.
人人平安 (21, 145쪽)

비가 많이 온다.
雨水太多 (95, 19, 107쪽)

어린 왕자
小王子 (132, 97쪽)

손자가 크고 있다.
孫子長大 [번체자] 孙子长大 [간체자]
(133, 85, 17쪽)

성형 수술을 받은 여자
人工美女 (61, 41, 46쪽)

매우 친절한 이씨 부인
大好人李太太 (17, 97, 16, 19쪽)

여동생이 일본에 간다.
妹妹去日本 (48, 141, 55쪽)

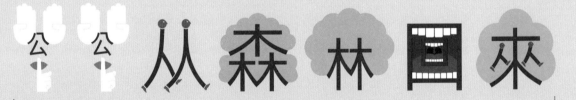

이 꽃은 얼마입니까?
這朵花賣多少? (113, 139, 151, 131, 107, 133쪽)

할아버지가 숲에서 돌아오셨다.
公公從森林回來 [번체자] 公公从森林回来 [간체자]
(141, 17, 33, 37쪽)

林夫人五月回去

린 부인이 5월에 돌아온다.
林夫人五月回去 (33, 18, 82, 56, 23, 141쪽)

엄마가 임신했다.
媽媽大肚子 (77, 115쪽)

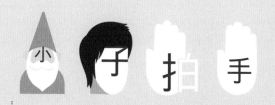

꼬마 녀석이 박수를 친다.
小子拍手 (132, 96, 101쪽)

인어공주가 크게 울었다.
人魚公主大哭 (24, 141, 27쪽)

부유한 가정의 여자는 아주 얄밉다.
富家女太臭 (121, 19, 99쪽)

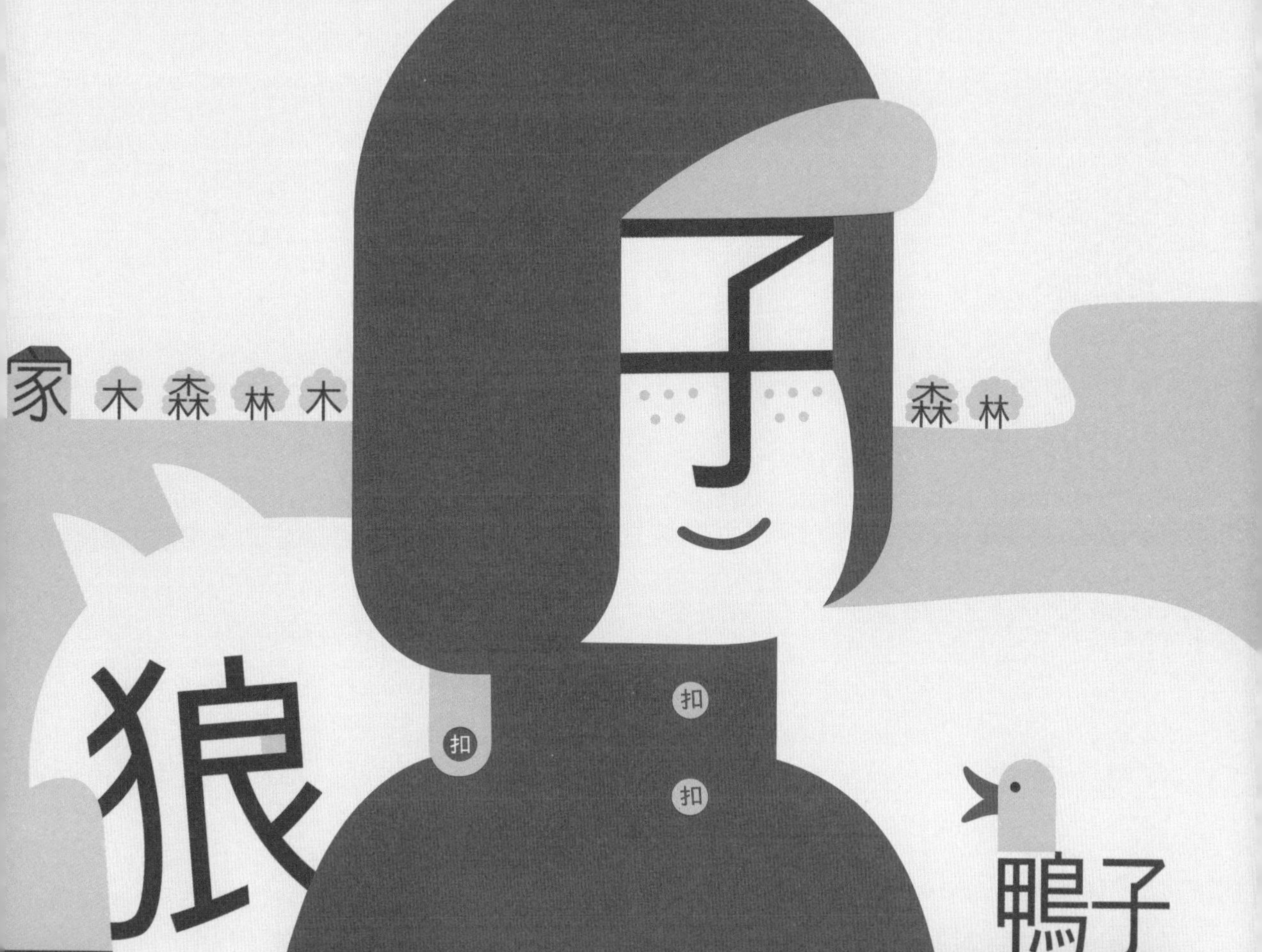
家
木
森
林
木
森
林
子
扣
扣
扣
狼
鴨子
彼得與狼
피터와 늑대 이야기

소년 피터

오리

祖父

할아버지

새

늑대

사냥꾼

고양이

옛날 옛적에 피터라는 소년이 숲의 끝자락에 있는 집에 살았습니다.
어느 날 아침 피터는 캄캄한 숲으로 산책을 갔습니다.
대문 닫는 것을 깜빡하고 집을 나섰지요.

家 木森林木森林木森林

근처에 있던 오리가 대문이 열려 있는 것을 보고 피터 집 뒷마당에서
물놀이를 하려고 했습니다.

오리가 물놀이를 하는 사이에 새 한마리가 날아와 오리를 놀려댔습니다.
"날지도 못하면서 네가 새니?"
이 말에 화가 나서 오리는 퉁명스럽게 말했습니다.
"물놀이도 못하면서 새라고 할 수 있니?"

架 > 鴨子

오리와 새가 말다툼을 하는 가운데 교활한 고양이 한 마리가 몰래
기어들어왔습니다. 고양이는 혼자서 생각했습니다.
'둘이 싸우는 동안에 저 새를 잡아먹어야겠다!'
고양이가 덮치려는 순간,
피터가 소리를 질렀고 새는 안전한 곳으로 날아갔습니다.

貓 喵喵

鳥 吱吱

木

呱呱 鴨子

祖父子 森

扣

扣

扣 扣

그 소리를 듣고 할아버지는 크게 꾸짖었습니다.
"숲에서 늑대라도 나오면 어쩌려고!"
"늑대는 무섭지 않아요!" 피터가 웃으며 말했습니다.
바로 그때 덩치가 크고 굶주린 회색 늑대 한 마리가 그들을 향해
숲에서 몰래 다가오고 있었습니다.

呱呱 鴨子

피터가 집으로 돌아가자 굶주린 늑대는 숲에서 모습을 드러냈습니다.
깜짝 놀라 새는 황급히 높은 나무 위로 날아갔습니다.
하지만 날지 못하는 오리는 재빠른 늑대를 피할 수 없었습니다.
꿀꺽! 늑대는 오리를 한입에 삼켰습니다.

친구들이 곤경에 처하자 피터는 밧줄을 들고 근처 나무로 올라갔습니다.
새가 늑대의 시선을 끄는 동안 피터는 밧줄로 고리를 만들어 늑대의
꼬리에 걸었습니다.

扣

몸부림을 칠수록 고리가 더 단단히 꼬리를 조여서 결국 늑대는 꼼짝할 수
없게 되었습니다. 그 순간 사냥꾼이 근처를 지나갔습니다. 이 늑대를 잡기
위해 오랫동안 쫓아다닌 사냥꾼이었습니다. 그는 피터가 나무에 있는 것을
보고 늑대를 쏴 죽이겠다고 했지만 피터는 더 좋은 생각이 있었습니다.

獵人

狼

扣

늑대를 꽁꽁 싸맨 뒤 피터는 사냥꾼에게 이웃마을에 있는 동물원으로
데려가달라고 했습니다. 늑대는 그곳에서 평생을 보냈습니다.

馬

扣

扣

扣

貓

終

三 셋 [sān]
하나 더하기 둘은 셋이다.

3

부록

기본형 한자
한자 모음

기본형 한자

人 사람 [rén]   16

天 하늘 [tiān]   20

口 입 [kǒu]   22

魚 물고기 [yú]   25

犬 개 [quǎn]   26

火 불 [huǒ]   28

木 나무 [mù]   32

竹 대나무 [zhú]   39

羊 양 [yáng]   40

山 산 [shān]   42

女 여자 [nǚ]   46

鳥 새 [niǎo]   50

羽 깃털 [yǔ]   51

日 해 [rì]   52

月 달 [yuè]   56

工 일 [gōng]   60

白 흰색 [bái]　62

虎 호랑이 [hǔ]　64

門 문 [mén]　66

水 물 [shuǐ]　70

牛 소 [niú]　74

馬 말 [mǎ]　76

玉 옥 [yù]　78

川 강 [chuān]　80

舟 배 [zhōu]　81

一 하나 [yī]　82-83

虫 벌레 [chóng]　84

長 길다/길이 [cháng]　85

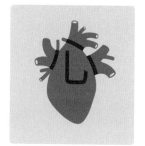

心 심장/마음 [xīn]　86

刀 칼 [dāo]　88

豕 돼지 [shǐ]　91

宀 지붕 [mián]　92

雨 비 [yǔ]　94

子 아들 [zǐ]　96

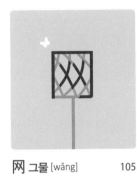
目 눈 [mù]　98

手 손 [shǒu]　100

飞 날다 [fēi]　103

戶 집 [hù]　104

网 그물 [wǎng]　105

夕 해질녁 [xī]　106

言 말하다 [yán]　109

皿 그릇 [mǐn]　110

己 자신 [jǐ]　111

辶 걷다 [chuò]　112

土 토양 [tǔ]　114

士 군인 [shì]　116

士 선비 [shì]　117

田 밭 [tián]　118

弓 활 [gōng]　122

酉 술병 [yǒu]　123

戈 무기 [gē]　124

鹿 사슴 [lù]　125

艹 풀 [cǎo]　128

貝 조개 [bèi]　130

小 작다 [xiǎo]　132

鬼 유령 [guǐ]　135

勹 싸다 [bāo]　136

几 몇 [jǐ]　139

厶 사적인 [sī]　140

示 알리다 [shì]　142

干 방패 [gān]　144

冫 얼음 [bīng]　146

欠 빚지다 [qiàn]　148

匕 비수 [bǐ]　150

한자 모음

책에 실린 모든 한자를 모았다. 번체자와 간체자가 다를 경우,
번체자를 먼저 쓰고 간체자를 붙여두었다.

笨	어리석다 [bèn]	39	日本女人	일본여자 [rìběnnǚrén]	55
羊	양 [yáng]	40	月	달 [yuè]	56
美	아름답다 [měi]	41	肉	고기 [ròu]	56
鮮/鲜	신선하다 [xiān]	41	朋	친구 [péng]	57
羔	어린 양 [gāo]	41	明	밝다 [míng]	57
咩	양의 울음소리 [miē]	41	膽/胆	쓸개 [dǎn]	57
山	산 [shān]	42	膚/肤	피부 [fū]	57
出	나가다 [chū]	43	查出	알아내다 [cháchū]	58
咄	꾸짖다 [duō]	43	查明	조사하여 밝히다 [chámíng]	58
仙	신선 [xiān]	43	來日/来日	장래에 [láirì]	58
屾	두 개의 산 [shēn]	43	明日	내일 [míngrì]	59
出口	출구 [chūkǒu]	44	本日	오늘 [běnrì]	59
出來/出来	나오다 [chūlái]	44	本月	이번 달 [běnyuè]	59
出品	생산하다 [chūpǐn]	44	工	일 [gōng]	60
火山	화산 [huǒshān]	45	左	왼쪽 [zuǒ]	60
火山口	분화구 [huǒshānkǒu]	45	右	오른쪽 [yòu]	60
休火山	휴화산 [xiūhuǒshān]	45	巫	무당 [wū]	60
女	여자 [nǚ]	46	工人	노동자 [gōngrén]	61
妠	말다툼 [núan]	47	人工	인공적인 [réngōng]	61
姦/奸	간통 [jiān]	47	女工	여성 노동자 [nǚgōng]	61
如	따르다 [rú]	48	白	희다 [bái]	62
妹	여동생 [mèi]	48	白白	헛되다 [báibái]	63
囡	딸 [nān]	48	白人	백인 [báirén]	63
婪	탐내다 [lán]	48	白天	대낮 [báitiān]	63
仙女	요정 [xiānnǚ]	49	習/习	배우다/ 연습하다 [xí]	63
女人	여인 [nǚrén]	49	虎	호랑이 [hǔ]	64
大妹	첫째 여동생 [dàmèi]	49	唬	겁주다 [hǔ]	64
鳥/鸟	새 [niǎo]	50	入	들어가다 [rù]	65
羽	깃털 [yǔ]	51	門/门	문 [mén]	66
日	해 [rì]	52	閃/闪	재빨리 움직이다 [shǎn]	67
且	아침 [dàn]	53	問/问	묻다 [wèn]	67
晶	빛나다 [jīng]	53	間/间	사이 [jiān]	67
東/东	동쪽 [dōng]	53	閑/閒/闲	한가하다 [xián]	67
查	조사하다 [chá]	53	大門/大门	대문 [dàmén]	68
山東/山东	산동지역 [shāndōng]	54	門口/门口	입구 [ménkǒu]	68
山東人/山东人	산동인 [shāndōngrén]	54	大門口/大门口	정문 [dàménkǒu]	68
山東女人/山东女人	산동 여자 [shāndōngnǚrén]	54	人間/人间	세상 [rénjiān]	69
日本	일본 [rìběn]	55	閑人/闲人	한가한 사람 [xiánrén]	69
日本人	일본인 [rìběnrén]	55	閃人/闪人	재빨리 피하다 [shǎnrén]	69

水	물 [shuǐ]	70		三	삼 3 [sān]	82
淼	물이 광활하게 펼쳐진 [miǎo]	71		四	사 4 [sì]	82
沫	거품 [mò]	71		五	오 5 [wǔ]	82
泉	샘물 [quán]	71		六	육 6 [liù]	82
淡	담백하다 [dàn]	71		七	칠 7 [qī]	83
江	강 [jiāng]	71		八	팔 8 [bā]	83
汝	당신 [rǔ]	71		九	구 9 [jiǔ]	83
沐	씻다 [mù]	71		十	십 10 [shí]	83
淋	젖다 [lín]	71		虫	벌레 [chóng]	84
水晶	수정 [shuǐjīng]	72		長/长	길다/길이 [cháng]	85
口水	침 [kǒushuǐ]	72		賬/账	회계/빚 [zhàng]	85
淡水	담수 [dàn shuǐ]	72		心	심장/마음 [xīn]	86
淡月	불경기인 달 [dànyuè]	72		必	반드시 [bì]	87
山水	풍경 [shānshuǐ]	73		悶/闷	답답하다 [mēn]	87
水門/水门	댐 [shuǐmén]	73		恕	용서하다 [shù]	87
口沫	침 [kǒumò]	73		怕	무서워하다 [pà]	87
泉水	샘물 [quánshuǐ]	73		安心	안심 [ānxīn]	87
牛	소 [niú]	74		小心	조심하다 [xiǎoxīn]	87
水牛	물소(버팔로) [shuǐniú]	75		心/全心	온 마음 [quánxīn]	87
天牛	하늘소 [tiānniú]	75		刀	칼 [dāo]	88
馬/马	말 [mǎ]	76		划	(배를) 젓다 [huá]	89
嗎/吗	의문조사 [ma]	77		分	나누다 [fēn]	89
罵/骂	비난하다 [mà]	77		叨	수다스러운 [dāo]	89
闖/闯	돌진하다 [chuǎng]	77		照	비치다 [zhào]	89
媽/妈	어머니 [mā]	77		分心	한눈을 팔다 [fēnxīn]	89
玉	옥 [yù]	78		分明	분명히 [fēnmíng]	89
王	왕 [wáng]	79		分子	분자 [fēnzǐ]	89
國/国	나라 [guó]	79		力	힘 [lì]	90
主	주인 [zhǔ]	79		加	더하다 [jiā]	90
全/全	전체의 [quán]	79		架	세우다 [jià]	90
女王	여왕 [nǚwáng]	79		駕/驾	운전하다 [jià]	90
國王/国王	국왕 [wángguó]	79		加州	캘리포니아 주 [jiāzhōu]	90
王國/王国	왕국 [wángguó]	79		豕	돼지 [shǐ]	91
美國/美国	미국 [měiguó]	79		猪	돼지 [zhū]	91
川	강 [chuān]	80		宀	지붕 [mián]	92
州	주 [zhōu]	80		災/灾	재앙 [zāi]	93
舟	배 [zhōu]	81		安	안정되다 [ān]	93
一	일 1 [yī]	82		牢	감옥 [láo]	93
二	이 2 [èr]	82		家	집 [jiā]	93

水災/水灾	수해 [shuǐzāi]	93	賬戶/账户	계좌 [zhànghù]	104
火災/火灾	화재 [huǒzāi]	93	網/网	그물 [wǎng]	105
天災/天灾	자연 재해 [tiānzāi]	93	夕	해질녘 [xī]	106
大家	모두 [dàjiā]	93	多	많다 [duō]	107
雨	비 [yǔ]	94	夢/梦	꿈 [mèng]	107
大雨	큰 비 [dàyǔ]	95	名	이름 [míng]	107
雨水	빗물 [yǔshuǐ]	95	歲/岁	해, 세 [suì]	107
雨林	우림 [yǔlín]	95	多少	다소 [duōshǎo]	107
子	아들 [zǐ]	96	言	말하다 [yán]	108
好	좋다 [hǎo]	97	信	편지, 믿다 [xìn]	109
字	글자 [zì]	97	計/计	계산하다 [jì]	109
李	자두 [lǐ]	97	詳/详	자세하다 [xiáng]	109
孖	쌍둥이 [zī]	97	語/语	말, 언어 [yǔ]	109
子女	자녀 [zǐnǚ]	97	自信	자신하다 [zìxìn]	109
王子	왕자 [wángzǐ]	97	相信	믿다 [xiāngxìn]	109
日子	일자 [rìzi]	97	日本語/日本语	일본어 [rìběnyǔ]	109
好心	선의 [hǎoxīn]	97	國語/国语	국어 [guóyǔ]	109
目	눈 [mù]	98	皿	그릇 [mǐn]	110
自	자신 [zì]	99	己	자신 [jǐ]	111
臭	(냄새가) 지독하다 [chòu]	99	自己	자기 자신 [zìjǐ]	111
相	서로 [xiāng]	99	辶	걷다 [chuò]	112
淚/泪	눈물 [lèi]	99	達/达	도착하다 [dá]	113
手	손 [shǒu]	100	逛/	거닐다 [guàng]	113
扶	돕다 [fú]	101	/迫	급박하다 [pò]	113
扮	분장하다 [bàn]	101	這/这	이것 [zhè]	113
拍	치다 [pāi]	101	人/达人	달인 [dárén]	113
抄	베끼다 [chāo]	101	狂犬	광견 [kuángquǎn]	113
扶手	손잡이 [fúshou]	101	土	토양 [tǔ]	114
人手	일손 [rénshǒu]	101	在	~에 [zài]	115
拍手	박수치다 [pāishǒu]	101	肚	배, 복부 [dù]	115
小抄	커닝페이퍼 [xiǎochāo]	101	坐	앉다 [zuò]	115
扒	훔치다 [pá]	102	佳	아름답다 [jiā]	115
扣	걸다 [kòu]	102	自在	자유롭다 [zìzài]	115
捆	묶다 [kǔn]	102	大肚子	임신(부) [dàdùzi]	115
找	찾다 [zhǎo]	102	坐在	~에 앉다 [zuòzài]	115
飛/飞	날다 [fēi]	103	佳人	미인 [jiārén]	115
戶/户	집 [hù]	104	士	군인 [shì]	116
大戶/大户	대가족, 대부호 [dàhù]	104	志	의지 [zhì]	116
貧戶/贫户	가난한 집 [pínhù]	104	士	선비 [shì]	117

감사의 말

이 책은 우리 아이들이 중국어를 읽고 그 문화를 이해할 수 있기를 바라는 마음으로, 어렸을 때 배웠던 중국어를 분석해서 설명해보면 어떨까 하는 호기심에서 시작되었다.

브루노 지우사니와 크리스 앤더슨 덕분에 지극히 개인적인 이 프로젝트를 테드TED에 소개할 기회를 얻었고 예상보다 훨씬 많은 사람들이 나의 강연을 지켜보았다. 4개월 동안 강연을 준비하면서 개리 셰인월드, 다리오 페스카도, 로버트 레슬리가 지속적으로 용기를 주고 격려해준 것에 감사를 표한다.

노마 바와 함께 작업한 것은 나에게 너무나 큰 기쁨이었다. 노마 바의 황홀한 그림 덕분에 한자들이 새로운 생명을 얻게 되었다. 프로젝트 매니저였던 이사벨라 쇼에퍼 역시 빠뜨리면 안 되는 사람이다. 그리고 지난 6년 동안 나를 돌봐준 딤플 나스와니에게도 감사를 전한다.

책을 쓰면서 이 책이 스스로 생명력을 가지고 성장한다는 느낌을 받았다. 많은 사람들이 프로젝트에 참여하며 규모도 커졌다. 그리스핀, 노마, 디자이너 다렌 페리, 캐리사 챈, 그리고 연구를 도와준 바네사 루와 그림과 세부 사항에 대해 끊임없이 논의하는 일이 어느새 일상이 되었고, 지금도 나는 작업한 것을 집에 가지고 가서 아이들에게 승낙을 받는다. 아이에게 작업한 것을 보여줄 때면 깐깐한 판사에게 판결을 받는 죄수가 된 기분이다.

수많은 사람들이 나를 끊임없이 도와주었다. 마이론 슐츠, 수전 버드, 룰루 왕, 빌 그로스, 체이스 하비에, 팀 페리스, 스테판 새그마이스터, 필립 롤리, 우 선생님 가족, 모두에게 감사드린다. 마지막으로 템스 앤 허드슨의 루카스 디트리히가 아니었다면 이렇게 훌륭한 책을 출판하기 위해 함께 여행할 사람들을 만날 수 없었을 것이다.

나는 14세에 집을 떠나 세계를 돌아다니며 나 자신을 이해하고 내가 있어야 할 곳을 끊임없이 찾아다녔다. 맨발로 콜롬비아 아마존을 걷고, 보츠와나 사막에서 사자와 하이에나 울음소리를 들으며 잠을 청했으며, 힘들고 추운 곳에서 나의 인내심이 어디까지인지 시험해보기도 했다. 이렇게 방랑하면서 결국에는 나의 의문에 대한 해답은 내가 출발한 곳에 있음을 깨달았다. 그 해답은 바로 '집'이었다. 서예가인 어머니 린 팡지 씨와 도예가인 아버지 휴 루이팡 씨가 이제는 내 걱정을 그만 했으면 한다. 씩씩한 딸로서 이제 내가 있어야 할 곳을 찾았기 때문이다.

옮긴이 박용호
본명보다 '라이언 선생님'으로 더 알려진 영어교사. 창의적인 수업법을 다양하게 개발하여 영어교사 수업경진대회에서 대상을 수상했으며, 교사 트레이너로도 활약하고 있다. 저서 수입의 대부분을 레고 조립에 투자하고 해마다 해외 자기계발 연수를 떠나는 창의력 마니아로, 이 책도 직접 발굴해 소개했다. 저서로 『라이언 쌤 이렇게 가르쳐서 영어수업 대박내다』, 『하룻밤에 보는 영문법』, 『나도 미드로 영어공부하고 싶다』, 『영문법 훈련노트 1, 2』 등이 있으며 『글쓰기 좋은 질문 642』와 『글쓰기 더 좋은 질문 712』를 번역했다.

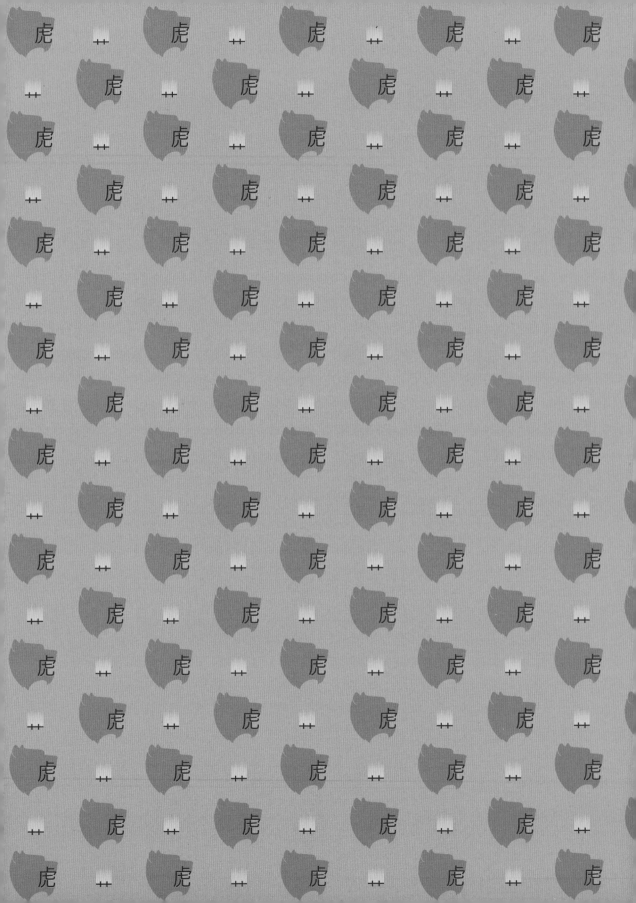